Thiba

Pour Thibaut Solano, le fait divers est une passion. Après des études de cinéma à Poitiers, il travaille comme journaliste au quotidien *La Montagne*, à Clermont-Ferrand, puis rejoint la presse nationale, d'abord le magazine *Ebdo*, puis *L'Express*, où il se spécialise davantage dans la chronique judiciaire, et enfin *Marianne*. Il est l'auteur des *Disparues* (Les Arènes, 2016), récit captivant de son enquête sur la disparition et l'assassinat de jeunes femmes à la gare de Perpignan (affaire jugée), et de *La Voix rauque* (Les Arènes, 2018 ; Pocket, 2019), chronique glaçante de la genèse de ce qu'on appellera « l'affaire Grégory ». En 2021 il publie *Les Noyés du Clain* chez Robert Laffont, suivi des *Dévorés* en 2023, tous deux repris chez Pocket.

LA VOIX RAUQUE

ÉGALEMENT CHEZ POCKET

La Voix rauque
Les Noyés du Clain
Les Dévorés

THIBAUT SOLANO

LA VOIX RAUQUE

Édition augmentée d'une préface inédite de l'auteur

LES ARÈNES

© Éditions des Arènes, Paris, 2018
© Pocket, un département d'Univers Poche, 2024,
pour la présente édition
ISBN : 978-2-266-29048-7
Dépôt légal : septembre 2024

Ce livre est dédié à Lilou et à Maël.

Préface, juillet 2024

En 2019, alors qu'elle s'apprêtait à prendre sa retraite, renonçant ainsi à l'instruction de l'affaire Grégory, la magistrate Claire Barbier, en poste à Dijon, confiait à l'auteur de ces lignes pourquoi elle refusait de s'accrocher : «D'autres sont morts et je ne suis pas dans cet état d'esprit.» Une double référence à ses prédécesseurs. D'abord au juge Maurice Simon, terrassé par la maladie au moment où, peut-être, il s'approchait de la vérité. Chargé des investigations entre 1987 et 1990, il avait, comme elle, repoussé la fin de son activité pour se concentrer sur l'enquête, mais il fut frappé par un accident cérébral à la suite duquel il perdit la mémoire. Ensuite à Jean-Michel Lambert, le premier juge désigné dès le mois d'octobre 1984, qui s'est suicidé en 2017 alors que la procédure se resserrait sur une piste qu'il avait laissée de côté, précisément celle poursuivie par Maurice Simon : le crime perpétré en famille. «Si j'ai parfois failli, j'ai cependant la conscience parfaitement tranquille quant aux décisions que j'ai été amené à prendre. (...) Je préfère sonner la fin de partie pour moi. L'âge étant là, je n'ai plus la force de me battre», écrivait Jean-Michel Lambert

9

dans une lettre d'adieux envoyée à Christophe Gobin, journaliste à *L'Est républicain.*

S'il n'y a pas une «malédiction de la Vologne», il y a bien, dans l'affaire Grégory, un mystère si abyssal qu'il peut consumer quiconque tente de l'éclaircir et s'y perd.

Quarante ans après l'assassinat de cet enfant de quatre ans, l'obstination de ses parents, Jean-Marie et Christine Villemin, pareille à une flamme continuant de briller face aux vents contraires, maintient en vie un dossier qui aurait pu être abandonné. En demandant systématiquement à la justice d'explorer toutes les nouvelles possibilités scientifiques – de la stylométrie, qui étudie la construction des phrases du «corbeau», au portrait-robot via l'ADN en passant par les expertises vocales –, le couple garde l'espoir de savoir qui a tué son fils et pourquoi.

L'une des pièces à conviction les plus prometteuses, le timbre de la lettre de revendication du crime, recèle quatre ADN masculins «mélangés». Dans le lot, peut-être celui d'enquêteurs qui l'ont manipulée – à l'époque, on prenait moins de précautions – mais peut-être aussi celui de l'expéditeur. Et donc de l'assassin. À ce jour, les technologies ne permettent pas avec certitude de dire à qui appartiennent ces traces génétiques.

En début d'année 2024, le Pr Christian Doutrempuich, à la tête du laboratoire d'Hématologie médico-légale de Bordeaux, espérait encore l'homologation de deux programmes novateurs capables de poser un nom sur ces ADN entremêlés. À l'été suivant, il se rendait à l'évidence, également auprès de l'auteur de ces lignes : «On n'y arrivera pas. Si on délivre un résultat qui n'est pas assez fiable, au bout de la chaîne, il y a un homme qui risque d'être accusé à tort.» Avant de consentir à une touche d'optimisme : «Mais la science progresse toujours. D'ici trois ans, je ne vous redirai peut-être pas la même chose.»

Dans cette vallée des Vosges où les âmes coupables se sont claquemurées, où la perspective d'une confidence sur un lit de mort relève du mythe, le temps est sans doute davantage un ennemi qu'un allié. Certes, les techniques se perfectionnent, mais les témoins meurent les uns après les autres. Et si aucun aveu ne vient étayer les présomptions, l'hypothèse d'un procès s'amenuise. Il restera alors ces quelques indices que le «corbeau» a laissés, volontairement ou pas, derrière lui. Des petits cailloux, rien de plus. Rien de moins.

À l'origine

« Le corbeau », s'il n'y en avait qu'un, n'a pas toujours été surnommé ainsi. Au moment de ses premiers appels, on parlait plutôt du « gars ». Éventuellement du « gars à la voix rauque », si l'on voulait être plus précis. Avec le recul, ce simple nom reste encore trop affirmatif. Le « gars » en était-il vraiment un ? N'était-il pas plutôt une femme ? Y avait-il un couple ? Ou plusieurs « gars » ?

Au début des années 1980, « il » a fait irruption, sans raison apparente, dans le quotidien d'une famille d'ouvriers, établie dans les Vosges depuis toujours. Une famille a priori banale, ni riche ni marginale, avec son lot de rancœurs et de rivalités, de peines et de failles.

À moins d'un aveu tardif, toutes les conclusions tirées ne seront que projections, hypothèses, soupçons. Tout juste peut-on s'accorder sur un point : « le gars » n'est pas sorti de nulle part. Depuis des années, il devait vivre à proximité de ses futures cibles, juste à côté, un peu plus loin… ou parmi elles. Quelque part dans le labyrinthe de l'affaire Grégory, dans le dossier d'instruction, les auditions, les rapports, son nom est forcément écrit. *Leurs noms* doivent être écrits.

Leur mobile, ce qui les poussait à faire ce qu'ils ont fait, demeure tout aussi opaque. On a parlé de secrets familiaux, de vengeance personnelle, de haine viscérale. On a brodé, fantasmé, déformé, manipulé. Seule l'issue est connue de tous : ce harcèlement à coups d'appels téléphoniques puis de lettres menaçantes s'est achevé par l'assassinat d'un enfant de 4 ans, Grégory Villemin, le 16 octobre 1984, à Docelles, dans les Vosges.

Que s'est-il passé avant ? À quel moment ce qui pouvait ressembler à un mauvais jeu s'est-il mué en volonté de tuer ? Quels indices ont semés, malgré eux, le ou les coupables ? La précision des procès-verbaux et des témoignages directs permet aujourd'hui de remonter à la source. Toutes les conversations rapportées ici sont issues de ces documents. Plus de trente ans après, voici la véritable histoire d'une famille qui, un jour, sans comprendre pourquoi, s'est retrouvée prise au piège dans le bec d'un « corbeau ».

I

Une famille

1

Une famille

1

Albert

Vers 1967

Certains disent qu'Albert est fou. « Le gars »,
celui qui va un jour lui empoisonner la vie, l'appellera « le tout fou ». C'est faux : Albert est malade des
nerfs mais pas dément. Il fait des séjours à Ravenel,
l'hôpital de Mirecourt, mais c'est dans l'unité réservée
à ceux qui souffrent de grosses fatigues et aux dépres-
sifs, pas aux psychotiques. Malheureusement pour lui,
la rumeur ne se soucie jamais de ces nuances : il va à
Ravenel, donc il est barjo.

Ses enfants pourraient en parler mieux que les
commérages, de ces soirées où il rentre en pétard de
l'usine. Savoir qu'Albert a passé une mauvaise journée est un jeu d'enfant, justement. Il arrive à la maison d'Aumontzey fermé, l'air sombre. Il ne parle
pas, ou si peu. Et puis ça monte progressivement, ça
sourd. Comme s'il ruminait. Si sa femme, Monique,
intervient pour apaiser les choses – et elle le fait souvent parce qu'elle déteste le conflit –, Albert s'énerve
encore plus. « Tu te fais des idées », dit-elle à son

mari. La moindre pondération passe pour un signe de collaboration avec l'ennemi du jour. « Ah, t'es de son côté ! » peste-t-il en réponse. Quel ennemi ? Peu importe. Un patron, un collègue, un beau-frère.

Ce soir, Albert est en colère. À l'étage de la maison, dans l'obscurité, les petits Villemin se sont assis autour du poêle pour se réchauffer. L'hiver est tombé sur les Vosges. À cette heure-ci, ils devraient déjà être couchés dans l'une des trois chambres – une pour Jacqueline, les deux autres pour les garçons. Mais ils ont désobéi. En entendant les éclats de voix de leur père qui s'énerve dans la petite cuisine, ils se sont relevés. Ils ne font pas de bruit car Albert pourrait être encore plus furieux.

Cling cling. Un éclat de verre brisé. Voilà qu'il s'en prend à la vaisselle. Jean-Marie, Jacky, Jacqueline, Michel, tous les enfants en âge de comprendre saisissent des bribes de mots qui montent du rez-de-chaussée. On dirait qu'Albert parle de son chef, avec lequel il s'est empoigné à l'usine.

Le père Villemin s'épuise aux ateliers Boussac, de 5 heures à 13 heures ou de 13 heures à 21 heures, selon les roulements. Si besoin, il y retourne le samedi et boucle une semaine de quarante-cinq heures. Il bosse aux cardes, à la filature. Du matin au soir, avec un collègue, ils s'emparent de balles de coton de deux cent cinquante kilos, les ouvrent, en extirpent de lourds rouleaux, les placent dans les batteuses, et ainsi de suite. Le bruit des mécanismes gronde sans cesse, il fait chaud, la poussière achève de rendre l'air assommant et on ne quitte pas son poste, sauf pour quelques pauses réglementées et surveillées. Comment voulez-vous ne pas être de mauvaise humeur en rentrant ?

Quand il sort du boulot, à 21 heures passées, les enfants doivent tous être au lit et faire silence, pour lui ficher la paix. Ils doivent ranger le Monopoly dans sa boîte, les voitures télécommandées dans le placard et tourner le bouton du téléviseur, une fois l'épisode de *Bonne nuit les petits* terminé. Il a besoin de calme.

Heures sup' ou pas, on ne peut nier qu'Albert est sensible. À l'atelier, son patron le considère comme un bon élément, un travailleur qui ne rechigne pas à la tâche et ne fait pas de vagues. Mais il prend toute remarque de travers et le moindre litige devient une tragédie. Pourquoi est-il comme ça ? On ne sait pas. À la maison, on connaît sa « maladie » mais on ne la nomme pas. Les adultes appellent cela des convulsions, ce qui ne veut pas dire grand-chose. Sinon que de temps en temps, il est pris de tremblements, de crises. Chez lui, ces épisodes peuvent exceptionnellement prendre un tour spectaculaire. Jean-Marie, l'un des cadets, se souvient de cet après-midi où son père était revenu ivre d'une obscure virée. Il s'était allongé dans sa chambre tout grelottant, paniqué, croyant sa dernière heure venue. « Il va y passer », avait pensé son fils, en s'enfuyant effrayé dans le jardin. À côté, Monique pleurait aussi, de peur... ou de chagrin : il ne l'avait même pas réclamée auprès de lui pour ce qui semblait être ses derniers instants. La venue du docteur avait finalement calmé sa crise.

Que fait-il lorsqu'il disparaît et qu'il revient en si piteux état ? Il fuit probablement dans un café du coin, sans doute chez Lebedel. De toute façon, il n'y a pas mille troquets à Aumontzey. Il doit fumer ses gitanes et vider seul deux, trois Suze au comptoir. Ses amis sont encore moins nombreux que les bistrots au village. On ne lui connaît pas de passion, ni la pétanque, ni la chasse, ni la pêche, qui comptent pourtant des adeptes à la pelle par ici. Il ne va pas voir les matchs de foot, même quand ses fils jouent dans l'équipe. Tout ce qu'il fait est plutôt solitaire et semble guidé par une utilité immédiate : couper du bois, nourrir les lapins. Mais quand il rentre, on ne sait pas d'où il vient.

Le pire, ce ne sont pas ses cris, bien qu'ils puissent résonner fort. Même pas ses gifles qui ressemblent à des coups. Même pas les claquements de ceinture – seul Michel, l'un des garçons, a goûté à ces brûlures, parce qu'il est le plus indocile. Non, le pire, c'est le moment qui précède la colère. Quand les yeux d'Albert s'écarquillent et s'injectent de sang. On dirait qu'ils sont prêts à sortir de leurs orbites.

Pourtant, le père Villemin n'est pas un tyran, ni un monstre, et il n'est pas toujours comme ça, comme ce soir dans la cuisine, à crier contre « la Monique » au-dessus de la nappe à fleurs et de la porcelaine cassée. Tous ses fils le comprendront plus tard. S'il s'énerve aussi souvent, c'est parce qu'il est plus fatigué que d'habitude. Parce qu'il a construit la maison dans laquelle ils vivent depuis plusieurs mois. Non pas brique par brique, mais il en a creusé le terrassement à la pioche, a posé le carrelage, les dalles en béton… Et tout cela en dehors des heures de boulot, en plus des cardes. On en connaîtra d'autres, dans les environs, qui pour le même labeur finiront exténués, déprimés et finalement pendus au bout d'une corde.

Et puis c'est une chance d'avoir une maison. Ce n'est pas un palace mais elle est bien tenue. Elle pousse sur un étage, route de Frambéménil, à l'abri des sapins, bordée par une allée de gravier. Il y a un garage qu'Albert a foré dans la butte. Un puits qu'il a localisé en promenant sa baguette de sourcier, une branche de noisetier. Et un grand terrain, derrière, avec des poules, des lapins, des pigeons, qu'il étendra au fil des années, comme on conquiert un territoire, comme on augmente un capital. C'est mieux que les cités noires où les Villemin habitaient juste avant, ces petites maisons mitoyennes qu'on dit noires à cause de la couleur de leur bardage. Ce n'était pas inconfortable mais trop exigu, à la venue du cinquième enfant. Albert et les siens ne sont pas partis loin : la rue d'à côté, pour ainsi dire. Mais ici, c'est déjà réussir. Parce qu'ils sont devenus propriétaires, pour vingt millions d'anciens francs. Ils ont quelque chose, un patrimoine, une possession qui ne dépend de personne d'autre. Et pour le coup, ce n'est pas si courant dans le secteur. Albert est une sorte de précurseur. À Aumontzey, il n'y a que quatre cents âmes, de moins en moins de cultivateurs et de plus en plus d'ouvriers, au creux d'une vallée qui protège autant qu'elle isole. Chacun suit plus ou moins le même chemin, celui qui mène à l'école jusqu'à 14 ans, puis à l'usine, puis à l'église et, un peu après, au cimetière. Rien n'est loin. Dans la cour de l'école, les fils Villemin se vantent pour épater les copains. « Nous, on a not' maison. » Il fallait voir comme ils couraient dans le jardin, tout excités, lorsqu'ils ont passé la porte pour la première fois. Comme ils riaient quand Albert les promenait dans sa brouette.

Mais il en paie à présent le prix. Et Monique aussi, par ricochet. Elle est aux premières loges pour supporter ses sautes d'humeur. À le regarder s'égosiller, les traits tirés et le geste incertain, elle doit penser qu'elle n'a pas cinq enfants mais six. Et qu'elle a épousé le premier. Ses garçons et sa fille ont remarqué, une fois ou deux, le soir après l'école, ses yeux rougis de larmes ou un bleu à sa pommette. Elle a seulement répondu, laconique : « On s'est disputés. » Ils n'ont pas insisté et, après tout, ce n'est pas mieux dans les maisons alentour. C'est même pire. Ils aperçoivent des hommes du voisinage rentrer chez eux en titubant. Quand la porte se referme, ils s'imaginent : « Ça va chauffer pour leur femme. »

Monique n'est d'ailleurs pas une épouse soumise. Qui a vraiment le dessus au bout du compte ? Si Albert ne veut dépendre de personne, il n'y en a qu'une dont il ne saurait se passer. Il peut garder sa marmaille, préparer le petit déjeuner, corriger les devoirs, mais qui s'occuperait de lui si Monique n'était pas là ? Elle seule peut le sauver de ses idées noires. Elle seule connaît la raison de ses crises de larmes. Elle seule sait pourquoi il est revenu un jour avec la voiture accidentée laissant penser à un acte volontaire. Elle seule sait pourquoi elle l'a déjà surpris, dans la cave, le tuyau de gaz dans la bouche. Elle seule connaît son secret.

Monique avait un temps repoussé ses avances, à la manufacture où ils travaillaient tous les deux. Mais dès son éclosion, l'amour pour eux ressemblait à une fuite, une urgence : liaison au mois d'avril 1953, mariage en juillet. Albert voulait panser les blessures de sa jeunesse, choisir et construire une famille pour oublier celle que la vie lui avait imposée. Abandonner loin derrière l'enfance abîmée, l'Assistance publique qui l'avait placé chez un oncle puis un autre, son travail de domestique à l'âge de 12 ans dans une ferme, les coups qu'il recevait s'il ne travaillait pas assez bien, sa patronne d'alors, si dure qu'il promet encore d'aller « cracher sur sa tombe ».

Au village, la chance d'aimer ne serait sûrement pas passée deux fois. Il le racontera un jour avec chagrin, ses yeux de hibou soudain embués : « Les femmes ne voulaient pas de moi, j'ai assez pleuré pour cela. Alors comme Monique a bien voulu, pourquoi voulez-vous que j'aille chercher ailleurs ? »

Les enfants Villemin ne connaissent pas encore le mystère que cache leur père et qu'il laisse parfois entrevoir. Ainsi, chaque fois ou presque qu'il parle de sa mère, il fond en larmes. Comme s'il n'avait jamais réussi à se débarrasser de son ombre. Au lieu de tourner la page du passé, il la relit jusqu'à ne plus y voir clair.

Bien plus tard, en 1980, à l'article de la mort, sa mère l'appellera à son chevet pour qu'il lui pardonne, et il lui pardonnera de s'être fait la malle quand il était tout petit. Il lui pardonnera même le premier drame de sa vie, celui qui est, vraisemblablement, le ferment de sa « maladie ». Il le révélera à son fils Jean-Marie, devenu adulte, un jour en passant en voiture sur une route, pas loin d'Aumontzey, Jean-Marie au volant, lui sur le siège passager. Du doigt, il désignera une forêt, derrière l'église de Saint-Jean-du-Marché, et il lui dira : « Tu vois, c'est là que ton grand-père s'est pendu. » Pendant la Seconde Guerre mondiale, son père n'avait pas supporté de rentrer du front sans retrouver sa femme à la maison. Elle était partie avec un autre. Albert était presque devenu orphelin.

Chez les Villemin, tout le monde finira par connaître ce lourd fardeau. Et si « le gars » a pris pour cible le chef de famille, c'est parce qu'il le sait plus fragile que les autres. Il doit croire qu'il le poussera plus facilement à bout. Au bout d'une corde, comme son père. « Tu te pendras », lui soufflera-t-il.

2

Jacky

Années 1950 et 1960

Jacky doit avoir 4 ans. Trop petit pour comprendre ce que ses yeux d'enfant voient, assez grand pour s'en souvenir plus tard. De l'entrée de la maison où il se tient, il ne perçoit qu'une image : son grand-père Léon brandissant une fourche en direction d'Albert pour le faire déguerpir. La mise en joue a lieu devant la ferme de ses grands-parents, à Aumontzey. Albert est venu chercher son fils Jacky. Il doit être saoul, « cané », comme on dit ici. En face, Léon ne vaut peut-être pas mieux, et quand c'est le cas, son visage émacié est encore plus rougeaud que d'habitude et ses mots plus agressifs, surtout envers son gendre. Face à l'arme, Albert ne moufte pas. Il tourne les talons. Et laisse là son premier garçon, sans parvenir à l'emmener avec lui.

Dans la mémoire de Jacky, c'est la première scène de ce genre mais ce n'est pas la dernière. Plus d'une fois, son père s'est vu chasser du domicile d'Adeline et de Léon Jacob. Les choses se passent toujours

25

de la même façon : Albert rentre chez lui, l'humeur maussade. À cause d'une broutille, il monte dans les aigus et Monique préfère fuir. Elle a peur qu'il ne s'en prenne aux enfants. Pour les mettre à l'abri, elle emmène sa ribambelle de bambins et s'en va à pied, soit chez le maire, soit chez un ami peintre, soit chez ses parents. Albert finit par se calmer et part en voiture à leur recherche, d'une maison à l'autre. Qu'on l'accueille avec ou sans fourche, ce n'est jamais amical : « Va-t'en ! », « Elle ne veut pas te voir ! » Monique reste cachée à l'intérieur et les petits grimpent l'escalier quatre à quatre pour s'enfermer dans la chambre de leur grand-mère. De là, ils peuvent l'entendre crier « Monique ! » et tambouriner à la porte d'entrée. Albert s'acharne. Un jour, il s'est même défoulé sur une voiture garée à proximité. Hélas, elle appartenait au plus costaud de ses beaux-frères : Marcel Jacob. Quand le propriétaire du véhicule a surgi sur le seuil et constaté l'état de la carrosserie, il a saisi Albert, devenu soudain blême et silencieux, pour le soulever de terre.

Le père Villemin n'a jamais le dessus. Quand on le domine, ses crises de nerfs s'amplifient : « J'vais m'foutre dans le canal », pleure-t-il. Son beau-père Léon s'en fiche. Il le déteste. Même en dehors de ces épisodes orageux, s'il a lui aussi un coup dans le nez, il se laisse aller à la méchanceté gratuite. En voyant arriver Monique au bras d'Albert, il a déjà lancé à sa fille : « Tiens, te v'là avec ton maquereau ! » C'est à se demander s'il ne souhaite pas secrètement le voir mettre sa menace de suicide à exécution. « Si tu le bats, je te tue », lance-t-il ce jour-là à son gendre en désignant le petit Jacky. Et ce ne sont pas des paroles en l'air. Comme si l'intégrité physique de l'enfant était la limite à ne pas franchir. Parce que c'est Jacky. Et qu'il est à part.

Le premier enfant des Villemin connaît bien la maison refuge de ses grands-parents pour y avoir grandi au moins jusqu'à l'âge de 2 ans, peut-être au-delà. D'un observateur à l'autre, la durée de ce séjour varie : l'estimation la plus basse se chiffre à dix-neuf mois, la plus haute à huit ans. Les raisons de cette séparation ne sont pas plus claires. Albert et Monique diront qu'ils n'avaient pas le temps de s'occuper de lui parce qu'ils travaillaient tous les deux, à la filature. Ils le récupéraient le week-end et le ramenaient le dimanche soir. D'autres défendent une version plus rude. « Des personnes m'ont rapporté qu'au début, mon père me battait souvent, dira Jacky devant les gendarmes. Je n'en ai pas le souvenir. »

La maison d'Adeline et Léon Jacob est une vieille baraque où les chambres ne cachent pas seulement des enfants : elles dissimulent aussi des mystères, parfois honteux. Le grand-père Léon est perçu comme un bonhomme sympathique quand il ne tire pas trop sur la bouteille. Ce qui, hélas, arrive plus souvent qu'à son tour. Pour expliquer son addiction, on invoque son passé de combattant pendant la Première Guerre mondiale, où il aurait été gazé. Dans les années 1950, au moment où Jacky fait ses premiers pas, c'est surtout un ouvrier qui travaille dur. Le patriarche Jacob a sept garçons et cinq filles, dont Monique, mais la seule qui vit encore sous son toit à cette époque s'appelle Louisette. D'aucuns font rimer son prénom avec « simplette » parce que sa conversation est décousue, qu'elle ne sait ni lire, ni écrire, ni même déchiffrer

27

l'heure aux horloges. En 1958, à l'âge de 23 ans, elle donne la vie à une fille, Chantal, une cousine pour Jacky, née de père inconnu. Inconnu jusqu'au jour où Louisette révèle son identité : Léon. Les gendarmes mènent alors une enquête de mœurs, et le géniteur incestueux se retrouve en cure de désintoxication à l'hôpital de Mirecourt. Mais qui Léon a-t-il accusé à sa place ? Quel nom a-t-il jeté en pâture à la rumeur, pour se défausser, et laisser imaginer qu'un autre était l'amant de sa fille ? Albert, bien sûr…

Nul ne sait, pas même le premier concerné, de quoi Jacky a été témoin dans sa prime enfance, ni si l'atmosphère dérangeante dans laquelle il a grandi a marqué son inconscient. Monique ne parlera jamais du drame de sa sœur et esquivera toute question à ce sujet. Malgré tout, en grandissant, l'aîné des Villemin aime revenir régulièrement chez les Jacob, passer dire bonjour à « pépère et mémère » en cheminant sur les hauteurs du village pour faire de la luge, boire un petit « sic », le sirop que lui sert son affectueuse grand-mère, ou jeter un œil aux cochons et aux vaches qui dorment dans la grange. Et presque plus rien ne lui laisse croire qu'il est à part.

À l'adolescence, ses meilleurs amis sont Jean-Marie, l'un de ses frères, et Bernard Laroche, l'un de ses cousins qui a grandi comme lui dans la maison d'Adeline et Léon. Ensemble, ils transforment la paisible vie d'Aumontzey en une aventure passionnante : ils fouillent les vieilles maisons pour y trouver et brûler de la poudre de munitions, laissée là depuis la guerre, s'emparent des roues de poussettes abandonnées dans les décharges pour en faire des « carrioles » et dévaler les pentes. Ils jouent à Thierry la Fronde, comme à la télé, en prenant pour cible des bouteilles de verre ou des rats qui traînent près des dépôts d'ordures.

Jacky trouve de l'incroyable même quand il n'y en a pas. S'il le faut, il peut l'inventer. À la filature, où il part travailler à l'âge de 16 ans en suivant le même chemin qu'Albert, son père, on ne raffole pas toujours de sa créativité. « C'est un gentil garçon mais il se vante… » Dans les vestiaires, avant d'embaucher, il raconte des histoires dingues : « Un jour, j'ai vu un chat marcher sur l'eau », « J'ai pêché une truite et je l'ai congelée. Quand je l'ai décongelée, elle a ressuscité ». Jacky n'est pas allé longtemps à l'école et, du temps où il y était inscrit, il n'était pas assidu. « Père souvent malade, a beaucoup manqué », a écrit son instituteur. Quand Albert partait en cure de repos, dans les années 1960, c'est Jacky qui aidait sa mère. Les travaux domestiques primaient sur l'instruction. Dès l'âge de 14 ans, il a suivi une formation de peintre en bâtiment pour pouvoir travailler au plus vite, et ramener l'argent qui vient à manquer.

Son parcours n'est pas rare dans les environs, loin de là. D'autres ont peu étudié, mais tous ne racontent pas avec candeur qu'un poisson peut réactiver ses branchies en sortant d'un frigo. L'originalité de Jacky lui appartient. Si quelques-uns la prennent pour une folie douce, d'autres se contentent d'en rire gentiment.

Mais s'il raconte beaucoup de bobards, il bénéficie de circonstances atténuantes. Il a grandi sans le savoir à l'ombre des secrets. Et pas seulement celui de l'inceste commis par le grand-père Léon. Un autre secret, soigneusement gardé par Monique, sa mère, le concerne. À peine peut-il nourrir des présomptions, au fil des indices glanés au hasard. Depuis l'enfance, en surprenant des conversations, il en a amassé une poignée. Ainsi l'étrange insistance de sa tante Cécile à lui dire qu'il est « le meilleur » de tous les fils Villemin. Comme s'il avait quelque chose de différent des autres. Pourquoi a-t-il l'impression d'être à part ? Pour toute réponse, Albert a concédé : « Tu sauras plus tard. »

3

Michel

Vers 1970

C'est la fois de trop. Il ne restait plus que quelques semaines à passer et il aurait fini le collège. Un passage déjà bref, très laborieux puisqu'il a redoublé à deux reprises, mais qu'importe : ni son père ni son grand frère Jacky n'ont fait d'études. La vie ne l'a pas favorisé non plus : enfant, il a connu une scolarité chaotique parce qu'il était placé avec Jacky à l'Assistance, lors des hospitalisations d'Albert.

Le vrai problème en ce mois de mai, ce n'est pas que Michel soit un mauvais élève. C'est qu'il va être renvoyé, à 15 ans, et c'est encore à cause de ses histoires de nerfs. On a prévenu ses parents, Albert et Monique, après l'altercation. En voyant le visage du directeur de l'établissement, ils ont compris tout de suite que leur fils était allé trop loin. L'homme qui les reçoit arbore un cocard significatif. Michel lui a collé son poing dans la figure, pour rien, parce qu'il a ramassé une ou deux heures de colle et qu'il ne l'a pas supporté.

Soit il tape sur les autres, soit il s'en prend à lui-même. Quelques années plus tôt, « Mimi » avait jeté un froid en plein cours. Pour une remarque déplaisante, il s'était planté la plume dans la main, d'un geste sec. Une autre fois, l'instituteur avait voulu le punir comme on punissait alors, à coups de règle sur les doigts. Mais lorsque le maître lui avait ordonné de tendre ses phalanges, Michel avait préféré déchausser ses lunettes et les lui jeter à la figure.

L'exclusion du collège semblait écrite d'avance. Albert est pragmatique : « Tu t'es fait virer ? Travaille. » Il n'a plus qu'à pointer aux machines, comme lui, comme Jacky. Au fond, même s'il avait eu un comportement différent, aurait-il connu un autre destin ?

Michel est malade. Un peu comme son père mais en pire. Il considère la moindre contradiction comme une attaque personnelle. Il se déteste. Il se punit tout seul et ses punitions flirtent parfois avec l'automutilation. Après l'épisode de la plume, il y a eu cet autre jour que Monique a gardé en mémoire. Après une violente correction infligée par Albert, Michel était sorti, enragé, dans le jardin de la maison. Là, il s'était frappé la tête contre un poteau de corde à linge.

Si Albert le secoue autant, c'est parce qu'il est le plus turbulent. Et quand il le voit, avec ses verres de lunettes en cul de bouteille et sa bouche tordue par la fébrilité, il doit se reconnaître. C'est le fils le plus ressemblant. C'est à lui qu'il a légué sa face la plus sombre. Pour lui aussi, on a parlé de « convulsions », de « maladie des nerfs ». Au début, Albert croyait que c'était à cause de la voisine. Elle s'amusait à faire tourner Michel sur lui-même, devant leur

cité, et ça le faisait rire. Un jour, ses yeux s'étaient
révulsés, ses globes oculaires étaient devenus tout
blancs et l'enfant s'était évanoui. « Arrêtez de le faire
tourner ! » avait ordonné Albert à la voisine. Mais
même après, les malaises s'étaient répétés. Entre 2 et
12 ans, il avait suivi un traitement, mais rien n'avait
fonctionné. À l'âge de 15 ans, Michel ne sait toujours
ni lire ni écrire. Lorsqu'il s'y essaie et qu'il empoigne
son crayon comme un torero novice empoignerait un
taureau en pleine charge, il gribouille à l'envers, de
droite à gauche, et il perd ses moyens. À la maison,
sa sœur Jacqueline l'aide à faire ses devoirs, en pure
perte. Elle finit toujours par terminer les exercices à sa
place. Monique sait qu'il est son enfant le plus fragile.
Elle le protège, elle l'épargne, le défend, quitte à provoquer des disputes conjugales. Albert trouve qu'elle
le materne trop.

Ses frères ont appris à composer avec ses humeurs
et ne se laissent pas intimider. Jean-Marie, qui a trois
ans de moins que lui, rend coup pour coup. Avec le
temps, il devient plus costaud. Mais quand Michel
sent qu'il est dominé, par la force ou l'intelligence,
sa violence est décuplée. N'a-t-il pas lancé un cou-
teau en direction de son petit frère, lors d'une énième
bagarre ? La lame a fini sa course plantée dans une
porte. Jean-Marie remâche aussi une sale journée dont
il lui attribue la responsabilité. C'est la rentrée scolaire,
l'entrée en sixième au collège de Granges-sur-Vologne
(les gosses de riches vont plutôt à Épinal). Le proviseur
fait l'appel jusqu'à ce que les nouvelles classes soient
complètes. Dans la cour, il n'y a plus que deux garçons
et Jean-Marie, oubliés. Le directeur l'examine d'un
œil sévère : « T'es le frère de Michel ? » L'élève opine

du chef. « T'iras en classe de transition jusqu'à ce qu'une place se libère. » Aucune place ne s'est jamais libérée. Et Jean-Marie a dû suivre la filière technique. De là à penser qu'il a payé le prix de sa parenté…

Comme pour panser l'humiliation, à l'âge adulte, Michel, le dernier de la classe, veut à tout prix être le premier. Le premier à se caser avec une femme, à acheter une maison. Mais la chronologie fait de Jacky, l'aîné, le prioritaire. Dans une famille où chacun semble avoir un compte à régler avec la vie, l'esprit de compétition laissera fatalement des cicatrices, comme le poteau à linge sur le front de Michel.

4

Liliane

1973

Jacky est donc le premier. Le premier fils Villemin, le premier à travailler, le premier à quitter la maison et, le 11 août 1973, le premier à se marier. Les autres suivront, dans l'ordre de leur naissance, comme si tout était écrit à l'avance et aussi bien réglé que la chaîne de production de l'atelier. Garçon robuste, le visage encore adolescent, des cheveux indisciplinés qu'il rabat sur le front dans une large mèche, Jacky a maintenant 19 ans. Pour son physique et pour son âge, on le sur-nomme « le grand ». Dans la maison d'Aumontzey, on a poussé les tables et les meubles pour accueillir les deux familles et danser. Son frère Jean-Marie prend sa première cuite. Ses jambes ne tiennent plus debout et l'assemblée s'en amuse. Ils rient et boivent sans savoir que c'est la seule noce de leur vie où tous les enfants d'Albert et Monique seront réunis. Par la suite, il y aura toujours une brouille, un problème.

En arrivant à la cérémonie, Jacky devait sans doute être anxieux et tremblant. Chaque fois qu'il est

35

stressé, ou contrarié, il ne peut retenir ses mains ni ses doigts : c'est plus fort que lui, il tremblote. Les litres de café qu'il absorbe et les cigarettes n'arrangent rien. Parce que son cœur palpite un peu trop, il a même été réformé. Sur une photo en noir et blanc prise le grand jour, on peut voir son sourire si large qu'il paraît forcé : le chemin qui mène à l'église n'est pas pavé de roses.

Celle qui lui a dit oui s'appelle Liliane Jacquel. C'est une belle jeune femme aux cheveux acajou qu'il a séduite trois ans plus tôt. Sous sa robe de mariée se devine un ventre qui s'arrondit depuis quatre mois. La couleur de ses dentelles ne détonne pas : quand elle se présente chez les Villemin, elle est souvent tout de blanc vêtue. On la voit de temps en temps apparaître dans la petite cour, chevauchant sa bécane, chemisier et pantalon assortis, sans crainte de se salir en nourrissant les lapins à l'arrière de la maison. À l'église, un détail attire toutefois l'attention plus que d'ordinaire. Pour que Jacky puisse lui passer l'alliance au doigt, elle a quitté ses gants dont elle se sépare rarement. Ils dissimulent la peau brûlée de ses mains, séquelle d'une chute dans une bassine d'eau bouillante survenue lorsqu'elle était enfant.

Elle est vêtue de blanc, la couleur de la virginité. S'il avait mauvais esprit, ou juste de l'esprit, Michel en ricanerait. Mais à la table des convives, le frère cadet, 17 ans, a mis un voile sur ses aigreurs. La belle ambiance du jour a presque ravivé, chez ce jeune homme venu sans cavalière, de doux sentiments. Quelques heures plus tôt, il a eu le privilège de voir Liliane dans sa robe avant son futur époux. Tandis qu'elle approchait, il n'a pu s'empêcher de lui souffler : « T'es belle comme ça. » Était-ce une nostalgie furtive ? Par le passé, il avait aimé Liliane. « Oh, huit jours à peine », dira-t-il. Ce jour-là, c'est son frère qui part avec elle. Très vite, il en éprouvera de nouveau du ressentiment. Déjà, quand Jacky lui avait annoncé sa décision, Michel lui avait exposé son point de vue, avec sa retenue habituelle : « T'es complètement fou ! Tu vas pas te marier avec la cinglée ! » Un an auparavant, il aurait crié un soir d'ivresse, les bras en croix tel un épouvantail : « La fille Jacquel est une putain ! » L'un des témoins de cette scène ne pouvait rester indifférent : c'était Roger Jacquel, le père de Liliane. Comme il était aussi « cané » que Michel, les menaces de coups avaient suivi les injures.

Mais le vin n'est pas mauvais en ce soir de fête, et les fâcheries d'hier semblent oubliées. Aucune tension ne se fait sentir entre Michel et les parents Jacquel. Seul Albert ronchonne un peu, dans son coin. Soucieuse de s'intégrer dans le clan Villemin, Liliane tente un pas vers lui. « Comment je peux vous appeler maintenant ? Albert ? Beau-papa ? » Glacial, il ne concède qu'un : « Monsieur Villemin. Ou Albert à la rigueur. » Dans son dos, il la surnomme « la fille Jacquel ». Il lui a donné son fils ; il ne lui laissera pas son nom. Il n'aime pas sa bru, et ce sera pire les années suivantes. Pourquoi l'a-t-il prise en grippe quelques mois après que Jacky a surmonté son appréhension pour lui présenter l'élue de son cœur ? Peut-être parce qu'elle est la première à voler l'un de ses garçons, ou bien parce qu'elle a du caractère, qu'elle ne se laisse pas faire. « Jacky ne mènera pas la barque », dit-on. C'est elle qui commandera à la maison. Et puis on trouve son humeur un peu changeante. Elle se vexe pour rien, prend mal la moindre remarque. Elle n'est pas la seule, pourtant. Les plus mauvaises langues murmurent qu'elle frappe parfois son propre père. La tradition locale veut qu'on pende des poupées à l'arrière des voitures quand on célèbre un mariage. Tout un symbole... La corde au cou, voilà ce qui attend Jacky. Mais la cause majeure de ces relations tendues est culturelle : Albert appartient à une époque révolue. Que les femmes parlent trop à table ou qu'elles osent sortir au bistrot, comme n'importe quel homme, ça le fait tiquer. Or, c'est justement le cas de Liliane.

Finalement, après s'être opposé sans nuances à cette union, le père Villemin avait dû céder. Elle, 17 ans, lui, 19 : ils étaient trop jeunes. Quant à envisager des repas de famille avec le père Roger Jacquel... Le refus avait d'abord été si catégorique que Jacky s'était plié à sa volonté. Malheureux comme les pierres, il avait pris la décision de rompre. Tout devait être bradé au magasin des souvenirs douloureux : la rencontre dans un café, l'ami qui joue les intermédiaires, les premiers rendez-vous clandestins dans les bois... Liliane n'avait pu le supporter. Dans un geste désespéré, elle avait avalé une surdose de médicaments pour en finir. Ce qui l'avait menée droit aux urgences de Gérardmer. Une fois rétablie, elle avait écrit une lettre à Jacky pour le reconquérir et leur relation s'était renouée dès sa sortie de l'hôpital. Sa grossesse désirée était devenue un argument majeur à opposer à leurs parents respectifs.

Mais si, ce soir, la pilule passe mal pour Albert, Monique se montre plus souriante, soucieuse de la bonne tenue de la fête, volubile avec les invités. Toujours dans un souci d'apaisement, elle veut voir le verre de vin à moitié plein, même quand Paulette

Jacquel, la mère de Liliane, trahit à son tour son manque d'enthousiasme dans un accès de franchise : « Jacky a marié une sacrée garce mais ça m'enlève une épine du pied », confie-t-elle à Monique. La mère de Jacky n'en revient pas mais tempère aussitôt : « Le mariage change bien des choses. »

Elle n'a qu'à considérer sa propre expérience pour apprécier les noces de son premier fils. Les siennes étaient bien moins joyeuses. Si l'on remontait vingt années en arrière, quasiment jour pour jour, on verrait qu'à cette heure tardive, les hôtes avaient déjà quitté le banquet qui avait célébré son union avec Albert. À l'époque, on cravachait à la ferme plutôt qu'à l'usine et on commençait trop tôt le matin pour veiller jusqu'à l'aube. Les cultivateurs n'avaient pas à partager d'atelier avec des collègues, ils labouraient seuls leur champ et restaient taiseux en société. Grande occasion ou pas. D'ailleurs, en était-ce une ? La famille Jacob, la sienne, était plus hostile à son choix qu'Albert ne l'est ce soir. Dans les deux cas, la même raison a ouvert le chemin vers l'église : la grossesse. Monique était déjà enceinte de son aîné en passant devant le curé.

Disons-le : elle l'était même avant de donner son premier baiser à Albert. À la fin du repas, en 1953, son époux s'était levé de table pour passer avec elle leur première nuit conjugale. Son père, Léon, avait alors eu ce mot cruel, un de plus, à l'égard d'Albert : « C'est pas la peine de te lever, le travail est déjà fait. » Sur le moment, le jeune marié en était resté coi. Mais en d'autres occasions, il trouverait quoi répondre. « T'es bien content de m'avoir trouvé pour marier ta fille enceinte ! »

Au milieu du salon d'Aumontzey, Jacky danse au milieu de ses frères. Eux ignorent la vérité. Mais lui sait désormais. Albert n'est pas son père. Peu après sa rencontre avec Liliane, sa grand-mère a vendu la mèche. Il avait posé tant de questions aux tantes, à Monique, aux femmes de son entourage. Il avait saisi trop de paroles équivoques, trop de bizarreries pour ne pas nourrir de soupçons. Le garçon baratineur, toujours fier de raconter des histoires extraordinaires, n'a rien dit à personne, cette fois. Sauf à sa moitié, Liliane. À elle il ne pouvait rien cacher. Effondré, il lui a tout expliqué, comme on avoue un secret honteux. « Je suppose que maintenant que tu sais ça, tu ne voudras plus te marier avec moi... » Sa future femme lui a répondu sans la moindre hésitation, droit dans les yeux : « Pour moi, ça n'a aucune importance. C'est pas ton père que j'épouse. C'est toi. »

Il s'est senti soulagé de ne pas être rejeté. Mais la blessure est là, béante, à vif. Les nuits suivantes, Liliane est restée impuissante en le voyant boire de plus en plus et s'enfermer dans sa chambre, seul.

5

Jean-Marie

Vers 1974

Un moteur rugit dans la nuit. Les pleins phares d'une voiture surgissent dans l'obscurité et serpentent sur la route de Gérardmer. La Simca rouge prend de la vitesse. « Vas-y, accélère ! » À l'intérieur, les passagers rient et surenchérissent. Les haleines sont chargées : la bière a coulé à flots. Au volant, le conducteur ne se fait pas prier pour presser l'accélérateur. Bernard Laroche, 18 ans, sourit. Ses yeux globuleux scrutent l'asphalte qui défile. Il tient le volant et la vie de tous les passagers entre ses mains. Logique : les autres n'ont pas le permis. Ses traits épais et sa chevelure fournie le vieillissent un peu mais il est encore un adolescent en mal de sensations fortes. Il n'a jamais été le dernier pour contourner les règles. Petit, avec à peu près les mêmes compères, il s'était amusé à arracher un panneau de signalisation. Les gendarmes les avaient cuisinés un peu : tous avaient avoué leur forfait, sauf lui. Bonne tête vu de l'extérieur, forte tête à l'intérieur. Aujourd'hui, il laisse les panneaux à leur place mais il en oublie les injonctions.

À ses côtés, ses deux cousins, Michel et Jean-Marie Villemin. Le premier est encore trop nerveux et illettré pour passer son code. Le second, trop jeune, se contente de l'encourager : « Vas-y, accélère ! »

Jean-Marie a délaissé son plus grand frère, Jacky, pour sortir avec le cadet. Leurs chamailleries de jeunesse sont passées… du moins jusqu'à la prochaine. Il a snobé les parties de pêche trop tranquilles pour les matchs de foot. À 16 ans, il a envie que ça bouge, que ça fonce. Ce n'est qu'un jeu de plus, juste un peu plus dangereux.

Les trois garçons reviennent d'une soirée. Menu classique : steak-frites-salade au resto La Clenche d'or, à Plainfaing, puis bal itinérant. Même si Jean-Marie est célibataire, il n'y va pas pour danser ou trouver une copine. La principale animation le samedi soir, c'est la bagarre. À tous les coups, on en trouve une, toujours un type trop saoul pour chercher des noises à un autre, près de la buvette, et lui expédier son poing dans la figure. Pour un regard de travers, une bousculade ou parce qu'ils ne sont pas du même village. Même s'il aime les films de Bruce Lee et le kung-fu, Jean-Marie se contente de regarder, sans participer.

Par le passé, Michel, lui, s'est déjà fait remarquer, et pas pour ses talents de danseur. C'est à l'occasion d'un bal qu'il avait provoqué le père Jacquel, futur beau-père de Jacky, en insultant sa fille. Mais depuis qu'il a rencontré Ginette, il sort moins. Jean-Marie trouvera quelqu'un plus tard. Tout le monde finit par trouver, c'est écrit.

Aumontzey n'est plus très loin. La route se courbe, la voiture file à toute allure et la fatigue se fait sentir. « Vas-y, accélè… » La Simca rate un virage, sort du circuit et, au milieu des cris, plonge dans la Vologne glacée qui borde la voie. Jean-Marie suffoque.

Derrière la porte de sa chambre, Monique entend des sifflements : son fils semble étouffer dans son lit. Jean-Marie se réveille de son cauchemar : pas de Vologne, pas d'accident, seulement une nuit agitée. S'il était superstitieux, il y verrait un signe, un avertissement. C'est vrai qu'ils ne rentrent pas à jeun de leurs soirées et que l'imprudence pourrait leur jouer un mauvais tour. Mais à 16 ans, pourquoi imaginer le pire ? Ils sont toujours arrivés à bon port, dans la maison d'Aumontzey que Jacky a quittée et que Michel quittera bientôt. L'usine, le mariage, la paternité. Voilà ce qui attend Jean-Marie, comme ses frères. Ça aussi, c'est écrit.

On mentirait en disant qu'il lui tarde de suivre le même chemin. On mentirait aussi en affirmant qu'il nourrit de grandes ambitions. À son âge, Jean-Marie pense plus aux filles qu'à faire carrière. Depuis qu'il a atterri en sixième d'adaptation, il a un peu décroché des études. Il voulait faire de la mécanique auto mais il s'est retrouvé en mécanique générale, qui offre davantage de débouchés. Quand il a évoqué l'idée de passer son CAP, son père Albert l'a regardé avec des yeux ronds comme des boulons : « Pour quoi faire ? T'iras à l'usine, comme tes frères. » Il est en train de rater son cursus, les machines à tisser martèlent déjà en bruit de fond. Mais il n'a pas dit son dernier mot.

Tous les frères Villemin sont des nerveux, à des degrés différents. Jean-Marie ne tremblote pas à la première occasion comme Jacky, il ne pique pas des crises comme Michel, mais il a hérité de la même impulsivité. Lui seul cependant semble réussir à transformer ce trop-plein en énergie motrice. Tout petit, il avait souffert d'une pneumonie purulente qui nécessitait plusieurs piqûres quotidiennes. Une bonne sœur venait alors effectuer les soins. La nuit, Albert prenait lui-même l'enfant dans ses bras pour le soigner, terrifié à l'idée de perdre l'un de ses fils. Jean-Marie avait survécu mais la maladie avait entravé son développement : il n'avait marché qu'à l'âge de 2 ans, plus tard que la moyenne. Qu'importe, l'enfant était déjà si pressé qu'on le voyait ramper dans le salon, fébrilement, pour se mouvoir malgré tout et compenser son retard.

Moins docile que Jacky, moins instable que Michel, Jean-Marie cherche à échapper à son destin. Des bacheliers ici, il n'y en a pas beaucoup. Quelques notaires et toubibs font office de notables. Avec les scieries, les ateliers de tissage et de filature sont les points cardinaux de la région. Au siècle précédent, les industriels alsaciens avaient fui la guerre contre la Prusse et s'étaient installés en Lorraine, profitant de l'énergie hydraulique des torrents et d'une main-d'œuvre bon marché. Dissimulées derrière d'épaisses forêts, les Vosges ont l'effronterie de se suffire à elles-mêmes. Elles fournissent encore en tissu un petit tiers de la France. L'ombre menaçante du déclin industriel approche lentement, prête à dévorer les entrepôts pour ne recracher que la rouille de leur toiture. Mais on ne le discerne pas encore. On naît ici, on grandit ici et on y meurt. Du coton, on fait un cocon, et tout semble organisé pour qu'on ne regarde pas plus loin. Les patrons des usines qui, un jour, auraient une rue à leur nom ont aussi construit pour leurs salariés des cités HLM – les cités jaunes – sur lesquelles donne la maison des Villemin. L'employeur est celui qui fournit tout ou presque : un toit, un travail, un avenir, à la vallée comme à ses habitants.

Une saison passe et Jean-Marie quitte les bancs du lycée professionnel de Gérardmer. À l'automne 1974, sans diplôme et sans imaginer s'envoler pour des cieux trop lointains, il postule à la porte d'une usine, Auto-coussin, un équipementier automobile à La Chapelle-devant-Bruyères, qui emploie deux cent cinquante salariés. On y fabrique la mousse des sièges de voiture. Les conditions de travail sont réputées difficiles. Monique y a travaillé quelque temps avant d'y renoncer en raison des crises d'asthme que lui causaient les odeurs de colle pulvérisée à tour de bras. Toutes les pièces confectionnées défilent sur un grand circuit qui occupe la majeure partie des trois cents mètres carrés de surface. Dans la chaîne de production, de la première à la dernière étape, chaque équipe a sa spécialité. Jean-Marie les connaîtra toutes. Mais celle où il passera le plus de temps demeure la plus éprouvante : l'injection. Ceux qui y ont usé leurs poumons résument en peu de mots l'âpreté de leur quotidien : « À la fin de la journée, tu gerbais. » D'ici quelques années, plus personne ne fera ça et on remplacera les hommes par des robots.

Du matin au soir, Jean-Marie voit défiler les pièces sur lesquelles il répartit la mousse, dans un temps donné – pas plus de trente secondes par élément –, ce qui requiert de la rapidité, de l'agilité et de la finesse. Après huit heures de travail, quand il enlève son masque antipoussière – protection dérisoire –, les restes de la matière traitée jonchent le sol comme des petites meringues éparpillées. Sa bouche est pâteuse, sa langue gonflée, ses narines bouchées, et ses yeux brûlent. La maigre prime de cent francs par mois peine à soulager ses envies d'ailleurs. Et la seule fois où il a ouvert la porte pour s'aérer parce qu'il ne tenait plus dans ce grand espace clos sans soufflerie ni ventilation, il a pris un blâme, sous la forme d'une petite feuille de papier qu'il s'est empressé de jeter dans le moule, par colère.

Lorsque, au mois de mars suivant, en 1975, un poste se libère aux tissages, Jean-Marie part avec soulagement. Et il se plie à la destinée familiale, au moins pour un temps. Il s'imagine que l'ambiance sera meilleure, l'atmosphère plus respirable et le trajet à faire le matin, moins long. Mais il faut un petit incident pour que les rouages se grippent et que Jean-Marie bifurque finalement, malgré lui. Au bout de trois semaines, le jeune homme adhère à la CGT et se laisse entraîner dans une grève réclamant une hausse des salaires. Il n'a pas vraiment de convictions politiques mais il trouve grisant de rester avec les collègues, le soir, devant le feu qui brûle aux grilles de l'usine. Un peu comme celui qui le réchauffait à l'étage de la maison d'Aumontzey quand il était enfant. Puis il pose quelques jours de congé pour assister au mariage de son frère Michel avec Ginette. Au retour, il est renvoyé. Ses absences sont considérées comme injustifiées. Sur le moment, il maudit cette direction et les syndicats qui ne tentent rien pour le retenir. « Bande de pourris ! » crie-t-il à son chef. Mais des années après, il pensera que c'était un mal pour un bien. Au fond, il ne voulait pas « finir aux machines » comme

Michel ou Jacky. D'une certaine façon, il voulait aussi être à part.

L'été 1975 ressemble à celui de l'année précédente : passage à la scierie puis retour chez Autocoussin, profil bas après sa tentative de fuite avortée. Mais Jean-Marie s'ennuie toujours à l'usine. Le soir, il rentre dormir chez ses parents, auxquels il verse son loyer, le « trinkgeld ». Sur les deux mille francs gagnés, il leur en donne mille huit cents et dépense le peu qui lui reste en essence pour sa bécane, en clopes, en steak-frites-salade, en parties de flipper et en sorties cinéma pour voir les films avec Delon, Belmondo ou Bourvil.

Le matin, il prend sans enthousiasme le bus qui l'amène d'Aumontzey à La Chapelle, avec les autres ouvriers. Il laisse parfois traîner son regard sur ses collègues plus âgés, installés sur les sièges d'à côté. À 45 ans, ils en paraissent dix de plus. Ils ont mal au dos, se traînent, fatigués, usés. Il se dit qu'il n'a pas envie de leur ressembler, ni aujourd'hui, ni demain.

Pourtant, c'est durant l'un de ces trajets d'un quart d'heure, au début de l'année 1976, qu'une vision bouscule son train-train monotone. Assis à l'arrière, le nez collé à la vitre, il l'aperçoit marcher dans la rue : elle a de longs cheveux et des yeux noisette. Une image presque subliminale, un vent de fraîcheur dans l'étuve des jours. Dans les vestiaires de l'usine, il y pense et demande, l'air de rien, à ses collègues : « Vous la connaissez, cette fille ? C'est quoi son prénom ? »

6

Christine

Avril 1976

S'il existe vraiment, le coup de foudre n'a pas eu lieu cet après-midi-là. Christine, 15 ans, discute alors avec une copine près du Pont blanc de Laveline. Deux motos passent à leur hauteur. Son amie reconnaît un garçon sur l'une des bécanes et le siffle. « *Pfuit !* » Les motos font demi-tour. Christine doit forcément remarquer l'intérêt que lui porte le deuxième conducteur. Comme s'il l'avait déjà vue avant. Aimable, elle lui sourit. Mais à vrai dire, il n'est pas du tout son genre. Cheveux longs, jean pattes d'eph'… Avec les filles de son âge, elles appellent ça le « style minet ». « C'est quoi ton prénom ? Moi c'est Jean-Marie. » Les présentations sont faites.

Christine en serait peut-être restée à ces politesses de circonstance. Mais le printemps leur tend les bras. Et le décor semble les inviter à la sérénade. La pierre du Pont blanc est recouverte par les initiales de tous les amoureux du village qui aiment s'y rejoindre. Elle trouve ça plutôt « cucul ». Le hasard faisant bien les choses, surtout si on l'aide un peu, la moto du « minet » entreprend de passer au même endroit les jours suivants, plusieurs fois, et avec obstination. C'est l'époque d'une longue grève à la filature : les ouvriers quittent leurs machines, se regroupent devant l'usine et font l'animation à Laveline. On vient voir le spectacle et les jeunes se retrouvent pour discuter, assis sur les bancs. Christine est là, Jean-Marie pointe le bout de son casque.

Il a déjà eu des cavalières, des amourettes, mais il n'en est pas moins pataud. Au fil des instants partagés, ils discutent de plus en plus librement et sont de plus en plus à l'aise. Christine entrevoit alors un garçon plus attachant qu'il n'y paraissait de prime abord. C'est elle qui fait le premier pas, audacieux et subtil à la fois, sans dire un mot. Un après-midi, alors qu'il n'y a plus de place sur le banc, elle s'assoit sur ses genoux. Et Jean-Marie ne dit pas un mot non plus, parce que son cœur vient de s'arrêter.

Christine est une fille de Laveline. Comme Jean-Marie, elle a reçu en héritage la condition ouvrière.

À l'âge de 9 ans, elle a quitté la Meurthe-et-Moselle pour y vivre avec sa mère et ses cinq frères et sœurs. Son père est mort trois années auparavant. Avec émotion, elle revoit encore sa carrure massive de bûcheron et respire l'odeur forestière qu'il promenait avec lui.

À 18 ans, il avait fait une mauvaise chute en coupant les branches d'un arbre. La blessure n'avait fait qu'empirer au fil des années, entraînant une maladie du sang. À 30 ans, il avait dû être amputé d'une jambe et quatre ans plus tard de la seconde. Le mal l'a finalement emporté. Christine elle-même souffre de problèmes de circulation sanguine, un autre legs.

Petite, elle ne s'imaginait pas trimer un jour au milieu des bleus de travail et des drapeaux de la CGT. Dans son monde, la figure bienveillante était incarnée par le curé à qui elle préparait des gâteaux avec ses copines de catéchisme. Le prêtre les incitait alors à écrire des lettres à d'autres enfants du monde, pour voir plus loin que les forêts de la Lorraine. Elle aurait voulu être bonne sœur, infirmière, humanitaire, sauver des vies en Afrique. Elle avait la foi au point de mettre « des voiles à ses poupées », s'amusera sa mère. Mais l'Afrique est restée un lointain continent et ce qu'elle a vu alors de plus étranger à son quotidien, c'est la tour Eiffel.

Pour l'heure, le lieu le plus prometteur pour la mener vers l'inconnu, c'est le Pont blanc. C'est là qu'elle retrouve son amoureux après sa journée d'école. Ils enfourchent la moto de Jean-Marie et partent se balader. Ensemble, ils grimpent jusqu'au Mourant, le bien mal nommé, où le soleil brille de sa plus belle lumière. Ils nagent dans la Vologne, ils vont au cinéma et s'attachent l'un à l'autre.

Le père Villemin les aperçoit s'éloignant de plus en plus des amis de leur âge. « Quand est-ce que tu me la présentes, dis ? » demande Albert à Jean-Marie, taquin et content que son fils puisse se caser à son tour. Le jour des présentations, Christine avec timidité, fait bon effet, surtout comparée à Liliane, la femme de Jacky. La nouvelle venue fait montre de la politesse et de l'effacement requis pour se faire accepter, quitte à susciter quelque méfiance. Jacqueline, la sœur, voit en elle une menace : d'où débarque cette jeunette, cette rivale qui pourrait lui voler la vedette ?

Personne ne parle de mariage pour le moment. Ils se séparent pendant trois semaines, pour une bagatelle, parce qu'une fille rôderait autour de Jean-Marie. Puis ils se réconcilient. Le mois d'octobre les met devant leurs responsabilités : Christine est enceinte. Sa mère ne lui laisse pas le choix et aucun des deux n'estime avoir la maturité nécessaire pour élever un enfant. Qui plus est, le service militaire de Jean-Marie arrive à grands pas. Désireux de quitter l'usine pour devenir gendarme, le jeune homme a précipité la date de son départ. « Plus tôt ce sera fait, plus vite j'en serai débarrassé », confie-t-il à Christine. La jeune femme avorte dans la douleur, bien que la pratique ait été légalisée l'année précédente. Quand le séjour à l'armée débute, à Charleville-Mézières, les deux adolescents découvrent ce qu'ils n'ont encore jamais ressenti : le manque.

De l'amour, Christine connaît deux visages, deux faces opposées. La plus claire, celle de ses grands-parents encore épris l'un de l'autre au crépuscule de leur vie, l'un veillant sur l'autre, avec une tendresse plus inaltérable que toute initiale gravée sur le pont de pierre. La plus sombre, la souffrance d'une de ses sœurs, battue par son compagnon. « Si c'est ça le mariage, c'est pas la peine », pense-t-elle. De sa mère, elle a hérité une forte personnalité et le refus de se plier à la domination masculine. Devenue veuve, sa mère Gilberte avait fini par trouver un autre homme. Mais à la minute où celui-ci avait levé la main sur elle, elle avait fait ses bagages et pris la route avec ses enfants, direction Laveline.

Avec Jean-Marie, Christine est en confiance. Ils s'écrivent presque chaque jour, s'impatientent de la prochaine permission, puis de la fin du service militaire. Ils pourraient alors construire une vie à deux, sans interruption, sans obstruction, comme ils l'entendraient.

La libération arrive en janvier 1978. Jean-Marie a 19 ans et il a revu ses plans. Il ne veut plus être gendarme : les contraintes de l'armée l'en ont dissuadé. Reprendre le chemin de l'usine ne l'enthousiasme pas plus qu'avant. Il s'imagine chauffeur routier, mais seulement dans la région, pour ne pas trop s'éloigner de Christine. Pourtant, faute d'opportunités, il accepte de pointer à nouveau chez Autocoussin, à l'injection, et d'en subir l'âpre rengaine. Le soir, il dort encore chez Albert et Monique. Jusqu'au grand jour tant espéré, où il faudra quitter la maison. La décision s'impose alors brutalement.

Le déclencheur survient un lendemain de cuite. La veille, les hommes de la famille ont passé la soirée ensemble. Albert a participé et bu plusieurs verres, trop d'ailleurs, et le lendemain, la gueule de bois et la mauvaise humeur prennent le dessus. Jean-Marie paresse sur le canapé devant la télé lorsqu'il entend un grand fracas à l'étage, comme une chute sur le plancher de bois. Aussitôt, il comprend. Il grimpe quatre à quatre vers la chambre parentale. Monique, qui se remet à peine d'une opération chirurgicale, est à terre. Pour la première fois, le fils est témoin de la violence conjugale, qu'il avait seulement devinée jusque-là. Il s'interpose avec rage. « J'ai failli l'étriper », dira-t-il. Dans les heures qui suivent, après Jacky, Michel et la discrète Jacqueline, Jean-Marie est le quatrième enfant de la famille à mettre les voiles.

7

« Le bâtard »

1978

C'est au cours d'une fin d'après-midi d'hiver de 1978 que Jean-Marie découvre le secret familial. Ou disons l'un des secrets familiaux. Il a alors 19 ans et vit avec Christine au deuxième étage d'un HLM, à Lépanges-sur-Vologne, tout en se disant qu'il n'y fera pas sa vie. Depuis qu'il a vu son père lever la main sur sa mère, ils sont en froid. Il ne voit Monique qu'en cachette et se faufile dans la maison familiale pendant qu'Albert travaille à l'usine.

La nuit commence à tomber lorsqu'il déboule en Renault 12 dans la petite cour de la maison d'Aumontzey. À vive allure, comme d'habitude. Une habitude que son frère Michel, qui a construit sa maison juste à côté de celle des parents, n'apprécie pas du tout. La dernière fois qu'il l'a vu arriver en trombe, il a même piqué une de ces petites crises paranoïaques dont il est coutumier. « Jean-Marie a voulu m'écraser ! » s'est-il plaint à sa mère, qui s'en est fait l'écho.

Le troisième fils Villemin est consterné qu'une telle idée ait pu germer dans l'esprit de son frère. D'accord, Jean-Marie a tendance à le prendre pour un « barjo », mais tout de même, comment peut-on imaginer une chose pareille ? Lorsqu'il arrive, à la même allure donc, Michel se tient dans son jardin et le guette. Les salutations ne sont pas cordiales. « Qu'est-ce que t'es allé dire à la mère la dernière fois ? Que j'ai voulu te rouler dessus ? T'es pas bien de dire ça ? » Pour toute réponse, Michel détourne la conversation. C'est un autre sujet qui occupe ses pensées et qui lui donne ce petit air excité. Celui qu'ont les détenteurs d'un secret qu'ils sont impatients de révéler. « J'en ai une bonne à te raconter ! » lance-t-il. Sachant que Michel est un peu comme Jacky, c'est-à-dire qu'il exagère ou qu'il fabule un brin, Jean-Marie se montre prudent :

« Qu'est-ce que tu me chantes ?

— Tu sais quoi ? C'est moi l'aîné de la famille ! »

Jean-Marie le regarde, interloqué. Michel est venu au monde en 1955, deux ans après Jacky.

« Jacky, c'est pas notre frère. C'est un bâtard ! » Derrière le verre épais de ses lunettes, les yeux de Michel brillent d'une lueur vive. « Albert, c'est pas son père ! La Monique l'a eu avec un autre ! »

Jean-Marie ne sait plus quoi penser. Mais un coup d'œil vers le visage assombri de sa mère lui donne confirmation. Tout est vrai. Monique ne révèle pas pour autant l'identité du père de Jacky. On devine qu'il s'agit d'une rencontre fugace et que le type a filé. On n'insiste pas, tant elle semble mal à l'aise. Le goût du secret est trop ancré dans la famille.

D'aussi loin qu'il s'en souvienne, Jean-Marie n'a jamais senti de différence entre lui et son frère Jacky.

Pour lui, c'est juste « le grand », l'initiateur, le compagnon d'exploration, dans la découverte des terrains de jeux d'Aumontzey, celui avec qui il allait dénicher les grands ducs et les corbeaux, pêcher les poissons, attraper les grenouilles et dormir à la belle étoile. Quand Jacky s'est marié avec Liliane, ils se sont éloignés. En grande partie parce que sa compagne a suscité le rejet. Chacun a emprunté son propre chemin, au même rythme. Et pourtant, dans le regard bouillonnant de Michel, au moment où il dévoile le pot aux roses familial, Jean-Marie voit la hargne de la revanche. Comme si la place d'aîné, la première place, lui avait été volée pendant toutes ces années. Et qu'il allait enfin pouvoir la récupérer.

Quant à Jacky, il n'a jamais profité de sa place dans la fratrie pour se hisser au-dessus des autres. S'il aime se rendre intéressant au travers de ses affabulations qu'il raconte dans les vestiaires de l'usine, le reste du temps, il opte pour la discrétion. Dans son coin, il n'embête personne. Depuis son mariage avec Liliane, son effacement est encore plus flagrant. Ils ne sortent pas, sinon pour rendre visite à un couple d'amis. Ils ont peu de loisirs, ne vont ni au cinéma, ni au bal, ni au café et ne prennent jamais de vacances. Liliane, couturière à domicile, travaille dur pour pas grand-chose : 1,20 franc la pièce cousue. Ils habitent à côté d'Aumontzey, dans un trois pièces à Granges, route de Gérardmer. Très possessive, Liliane lui fait des crises de jalousie – « T'es sûr que t'étais à la pêche ? T'as rencontré quelqu'un ? » –, mais à part les poissons, Jacky n'a pas de compagnie. S'il voulait fuir, il n'irait pas bien loin. Parce qu'il a un souffle au cœur et qu'il est trop nerveux, il n'a même pas le permis. Aussi, lorsque ses frères parlent de bagnoles – souvent lors des bavardages familiaux –, il s'ennuie ferme. Quand on le regarde, on distingue, il est vrai, ce qui le différencie des autres : des cheveux qu'il perd plus vite, un visage moins anguleux, des jambes plus longues. Mais s'il est différent, c'est peut-être aussi pour cette raison : il a beau être l'aîné, il se fiche d'être le premier.

Ce qui n'est pas le cas de Michel. Il est le seul à avoir mal réagi en apprenant que Jacky avait un autre père. Comme s'il lui en voulait, comme si c'était mal, comme si c'était sa faute. Avec son frère, ils ne se parlent plus comme avant. Michel lui a même trouvé un surnom, qu'on emploie pour un chien : « le bâtard ». Et à présent qu'il connaît le secret, il en est persuadé : c'est lui le premier. Quelle belle revanche pour celui qui croyait être le dernier, à cause de ses problèmes de nerfs, de ses convulsions et de son incapacité à écrire un mot complet… Être arrivé à peu près au même point que son père – la seule référence qui vaille – quand on est parti avec autant de handicaps, ça force le respect. Il a 22 ans, une femme, Ginette, déjà une fille, et une maison Phénix. Certes, le logis est plus petit que celui d'Albert et Monique, sans étage, mais il l'a fait construire et il est propriétaire. Il n'y a que quelques mètres entre son pavillon et le leur. Il a choisi cet emplacement comme pour mieux s'assurer de la solidité du cordon qui le lie à sa mère protectrice et pour veiller à ce que nul ne vienne, cette fois, lui voler la place.

Quand Jacky avait voulu bâtir sa propre maison – et il était en retard puisque Michel avait déjà la sienne –, il avait envisagé de prendre, lui aussi, un terrain à proximité des parents. Mais Michel s'y était opposé de toutes ses forces et avait obtenu gain de cause. Jacky s'était alors installé ailleurs. À présent que Jean-Marie s'est envolé du nid, il s'intéresse à son tour à la friche disponible, et il tente sa chance. Il a bien compris que c'était chasse gardée mais il provoque un peu. « Avec Christine, on veut faire construire et ça me dirait bien de prendre le terrain. » Michel ne lui avouera pas en face mais n'en pensera pas moins : « S'il construit à côté, je vends ma baraque et je me tire. » Albert et Monique prennent son parti.

Jean-Marie bluffe, de toute façon. Avec Christine, ils ne veulent pas vivre à côté de leur famille vingt-quatre heures sur vingt-quatre. Ils rêvent d'une maison plus éloignée, plus en hauteur, avec une vue dégagée, au-dessus du nid de guêpes.

8

L'installation

Août 1980

« C'est un gamin ! » Jean-Marie s'est dirigé droit
sur sa belle-mère, porté par l'émotion. Il a presque crié
ces trois mots en sortant de la salle d'accouchement.
Gilberte, la mère de Christine, n'avait aucune raison
d'être surprise. L'échographie leur avait déjà annoncé
que l'enfant serait un garçon. Un peu plus tôt, Albert
avait fait le test du pendule : une bague de Christine,
suspendue à un de ses cheveux, avait donné la même
réponse en tournant doucement au-dessus de son
ventre.

Grégory était attendu. L'idée de devenir parents
les taraudait de plus en plus. À l'âge de 15 ans, Jean-
Marie, s'étant occupé du benjamin de la famille, le
petit Lionel, venu au monde en 1972, avait compris
qu'il saurait veiller sur un enfant. Christine avait
déjà joué les nounous, notamment avec la fille de
Michel et Ginette. Et le jour est arrivé, naturelle-
ment. Bien qu'ils aient pensé, un moment, en être
privés.

En raison de ses problèmes de phlébite, Christine avait consulté un médecin pour savoir si elle serait apte à supporter une grossesse. Le premier avis médical était tombé tel un couperet sur leurs rêves de jeunes adultes : « Si j'étais vous, j'y renoncerais », avait balayé le toubib. Le projet était trop dangereux pour sa santé. Mais Jean-Marie avait toujours été du genre têtu. Ils avaient sollicité un deuxième médecin et celui-ci était allé dans leur sens. Avec un suivi régulier, tous les quinze jours, Christine pouvait nourrir l'espoir d'une maternité sans danger.

Les neuf mois précédant la naissance de Grégory l'avaient rendue radieuse. Autour d'elle, ses proches avaient noté à quel point la perspective de devenir mère la mettait en joie. Un mois avant le jour J, elle dansait encore au sous-sol de la maison d'Aumontzey, au cours d'une soirée en famille. Elle avait même tenu le rythme jusqu'à l'aube et n'avait rejoint son lit qu'une fois tous les autres couchés.

Ce 24 août 1980, à la maternité, Jean-Marie prend son fils dans ses bras. Ses yeux découvrent émerveillés celui qu'il considère déjà comme le plus bel enfant au monde, ce qu'il aura désormais de plus cher. Son regard se pose sur un détail physique qui l'amuse autant qu'il l'attendrit : le petit orteil du bébé n'a pas d'ongle. Légère malformation qu'il lui a léguée après l'avoir reçue de son père. Grégory est bien un Villemin.

Tout sourit à Christine et à Jean-Marie. Au cours des deux années précédentes, le couple a pris trois décisions fondamentales : se marier, faire un enfant et construire une maison. De toutes, la première a été la plus évidente et la plus simple dans sa concrétisation.

Aucun des deux n'avait rêvé de noces princières, de dorures ou de festivités éblouissantes. Non que l'acte soit une formalité, c'était juste une étape logique dans leur chemin, avec ses avantages. Un passage à la mairie facilitait par exemple la souscription d'un crédit pour bâtir un toit. La cérémonie avait été le plus humble possible. Elle s'était déroulée en janvier 1979, sans église, devant le premier magistrat de Lépanges, entre deux témoins. Le couple avait de bonnes raisons d'agir ainsi. Les conflits intrafamiliaux avaient été si nombreux, les jalousies et les tensions si vives, qu'un mariage sans invités permettait d'éviter les problèmes. Quelques jours plus tôt, à la faveur d'un enterrement, Jean-Marie s'était réconcilié avec son père. Comme si la fatalité de la mort était la seule chose assez puissante pour dominer leur orgueil, au moins un temps. Pour autant, l'apaisement n'avait pas remis en cause le choix de Jean-Marie et Christine.

L'autre avantage d'une telle modestie était d'ordre pratique. Ce qu'ils ne dépenseraient pas dans l'organisation servirait à payer les travaux de leur future maison. Les calculs avaient déjà été faits et rien ne devait fragiliser leurs prévisions. En grandissant dans des familles sans fortune, Christine et Jean-Marie avaient appris l'économie. Christine tiendrait d'ailleurs à jour un précieux cahier avec deux colonnes : dépenses et recettes.

La jeune femme, qui rêvait, enfant, de devenir bonne sœur, n'a nourri aucun regret en choisissant de se marier sans prêtre. La perspective d'être au centre des regards la pétrifiait. Le jour de sa communion, elle avait tant paniqué en pensant à tous ces yeux qui se poseraient sur elle qu'elle en avait vomi. Une mise en lumière aussi importante qu'un mariage l'aurait terrifiée au-delà du supportable. En temps normal, le couple cultive de toute façon la discrétion : on ne les voit presque jamais s'embrasser.

Depuis l'année dernière, Jean-Marie et Christine se sont aussi lancés à la recherche d'un terrain pour construire une maison. L'hypothèse d'Aumontzey écartée, leur attention se tourne vers les hauteurs de Lépanges, à quelques pas de leur HLM. Ils connaissent déjà le secteur pour l'avoir souvent arpenté le dimanche lors de leurs promenades. L'endroit est calme, le voisinage le plus bruyant se résume aux vaches qui broutent dans les pâturages. Jean-Marie tape à la porte de riverains pour se renseigner, savoir si une opportunité pourrait se présenter, jusqu'au jour où il apprend qu'une parcelle est disponible. Au lendemain de Noël 1980, un an après leur mariage, quatre mois après la naissance de Grégory, les travaux débutent au 4, rue des Champs. Ils se sont attelés à la tâche depuis à peine un mois lorsqu'un événement dramatique vient changer la donne.

Un collègue de Jean-Marie, Serge, contremaître à l'usine, s'est pendu. À l'annonce de sa mort, c'est la sidération dans les rangs ouvriers. « La veille encore, il était avec nous, il rigolait », se souvient le père de Grégory. On apprendra par la suite qu'il était épuisé par la construction de sa maison sur son temps libre.

Depuis deux ans, Jean-Marie progresse à Auto-coussin. Il ne crache plus ses poumons à l'injection, il est passé au labo. Autant le poste précédent relevait de la mécanique, autant celui-ci s'apparente à de la grande cuisine. Le jeune homme court d'une machine à l'autre pour s'assurer du bon dosage des composants utilisés dans la fabrication des produits. Il teste aussi la conformité des productions, vérifie si les pièces conçues ne sont ni trop dures ni trop souples. S'il y a une panne, il doit réparer. Lui qui traînait un peu les pieds pour aller à l'usine s'épanouit dans cette nouvelle mission, moins répétitive et mieux payée. Il dort cinq heures par nuit, se lève avant l'aube, se démultiplie entre le boulot, l'enfant et la maison à construire. Ses patrons remarquent son dévouement et lui proposent de prendre le poste vacant de Serge. De ce bouleversement naît une aubaine : devenir le responsable d'une équipe de vingt et une personnes. Décidément, tout lui sourit.

9

« Le chef »

Mai 1981

Cinq
Quatre
Trois
Deux
Un…

À la télévision, l'image apparaît progressivement, du haut vers le bas. À mesure qu'elle dévoile un visage informatisé, on entend un petit signal sonore, comme pour signifier « abracadabra ». La voix du journaliste Jean-Pierre Elkabbach, en plateau, accompagne la révélation : « François Mitterrand est élu président de la République. »

À Aumontzey, on sort les bouteilles. Les familles se réunissent pour fêter ce grand basculement, l'accession de la gauche au pouvoir, enfin ! Dans la circonscription, 54 % des électeurs ont voté pour le socialiste.

Jean-Marie et Christine passent une tête chez Albert et Monique. Au moment de l'annonce, ils n'étaient pas rivés à leur écran et n'apprennent la nouvelle qu'en revenant d'une balade. Les Villemin sont tous de gauche. Les nuances se jouent entre les communistes et les socialistes. Ce qui n'est pas rien. On se souvient d'un repas dominical où le ton était monté, Jacky défendait les « cocos », son père les « socialos ». Au premier tour, certains ont choisi Georges Marchais, le leader du PCF. Qu'on approuve ou non ses idées, on se délecte de chacune de ses apparitions médiatiques. Quand il est invité sur un plateau, on regarde l'émission comme on va au spectacle. On rit à ses saillies verbales, à sa façon de renvoyer ses adversaires ou les journalistes dans les cordes. Crochet du droit, crochet du gauche, la politique est un match de boxe.

Jean-Marie a donné son bulletin de vote à Mitterrand. Depuis sa brève et malheureuse expérience à la CGT, il se tient à l'écart de tout militantisme. C'est davantage l'homme et son programme qui l'ont séduit, pas le parti ni l'idéologie. D'ailleurs, il n'y a pas grand monde pour accepter en bloc ce que le nouvel élu propose. L'abolition de la peine de mort, par exemple, on s'en passerait. Personne n'a oublié l'affaire Patrick Henry, survenue en 1976, à Troyes, pas si loin d'ici. Le type avait enlevé un garçonnet de 7 ans pour réclamer une rançon à ses parents. Parce qu'il ne supportait pas ses pleurs, il avait fini par l'étouffer. L'assassin avait échappé à la peine capitale grâce au talent et à la plaidoirie de son avocat, Robert Badinter, qui serait nommé ministre de la Justice un mois après la présidentielle. À l'époque, quand il avait suivi l'histoire à la télé, Jean-Marie avait pensé à son plus petit frère, Lionel, âgé de 5 ans. « Si un type lui avait fait ça, j'aurais voulu qu'on lui coupe la tête. »

À l'usine, le programme de Mitterrand a suscité l'espoir : la cinquième semaine de congés payés, les trente-neuf heures de travail hebdomadaire, la retraite à 60 ans... Les syndicalistes de la CGT, les plus nombreux et les plus bruyants, ne pouvaient pas dire non, même si, dans leur majorité, ils penchaient plutôt du côté des communistes. La fin du mandat de son prédécesseur avait tellement exaspéré que son nom, « Giscard », était devenu une insulte. Plus encore, son Premier ministre, Raymond Barre, avait focalisé la colère. « Marre des coups de Barre », disait-on, de ses leçons d'économiste, de la hausse de la TVA, de l'austérité.

« Tiens, voilà Giscard... »

Forcément, lorsque cette pique a fusé à son intention, Jean-Marie a ri jaune. C'est Jean-Paul Jacob, l'un de ses cousins du côté maternel, qui la lui lance, peu après sa promotion. Rien de méchant, juste de l'humour. Mais l'élection est maintenant passée et voilà qu'il récidive dans le même registre. Le père de Grégory est affairé à la construction de sa maison à Lépanges et le cousin le taquine de nouveau sur ses « rêves de grandeur ». Ou sur sa voiture, une Renault 20, une bagnole de « giscardien ». Ce coup-ci, Jean-Marie répond du tac au tac : « Tu peux parler ! Toi t'as un sous-sol, nous on a juste une maison de plain-pied ! »

À quoi reconnaît-on un signe extérieur de richesse ? D'ordinaire, dans le coin, on n'aime pas trop les chefs. Ces temps-ci, étant donné le climat politique où perce un brin de revanche sociale, leur cote de popularité est encore plus basse. Chez les Villemin ou les Jacob, on n'a connu qu'un seul précédent : un cousin avait également été nommé contremaître et devait en plus diriger des membres de sa famille. Jean-Marie n'est pas encombré d'une telle charge mais il sort du lot. Dans le bon sens, aux yeux d'Albert, qui s'est réjoui de la nouvelle : il est d'ailleurs venu rendre visite à son fils, à l'atelier, pour le voir à l'œuvre, à la tête de son équipe. « J'suis fier de toi », lui a-t-il dit avec sincérité. Mais certains de ses proches sont moins admiratifs.

Après sa rencontre avec Christine, Jean-Marie a commencé à s'isoler, à moins voir ses amis pour se consacrer à sa compagne. La naissance de Grégory et l'installation dans la maison de Lépanges, ainsi que la montée en grade, n'ont fait qu'amplifier le mouvement. Pas question de mélanger vie privée et vie professionnelle, pense-t-il. C'est trop délicat de prendre un verre avec des collègues le soir pour leur donner des ordres le lendemain. En tant que contremaître, il répartit le travail entre les employés et surveille les opérations. Ceux qui prennent ombrage de cette distance jugent qu'il « a perdu de sa simplicité », depuis qu'il est « chef ». Il faut admettre qu'il ne rigole pas : il n'aime pas qu'on traîne à la tâche ni qu'on discute trop longtemps. Les pièces doivent être bien nettoyées, les temps de pause respectés. L'autre jour, celui qu'on appelle « le Turc », et que tout le monde craint, l'a vérifié à ses dépens. À deux reprises, cet ouvrier avait largement débordé du temps de pause réglementaire. La première, Jean-Marie n'a rien dit. La deuxième, il l'a réprimandé. Énervé, « le Turc » l'a regardé en passant son doigt sur sa gorge, comme pour dire « T'es mort ». Dans la seconde, Jean-Marie l'a expulsé. « Je te pointe et tu rentres chez toi. »

Jean-Marie n'est pas du genre à baisser les yeux. Au contraire, il serait plutôt de ceux qui lèvent le menton haut. Et puisque ses nouvelles responsabilités ont fait grimper son bulletin de salaire, pourquoi ne pas en profiter ? Son cousin Jean-Paul peut bien juger qu'« au-dessus de six mille balles, on est forcément giscardien », Jean-Marie reste de gauche sans jouer les pauvres. Quand il était gosse, il portait les vêtements de ses grands frères avant de les passer aux plus petits lorsqu'ils atteignaient le même âge. On n'était pas à la rue mais on ne roulait pas sur l'or. Les temps changent. À Christine, il offre un manteau en peau de lapin. Un dimanche, alors qu'elle vient assister à l'entraînement de karaté de Jean-Marie, son nouveau look ne passe pas inaperçu, encore moins aux yeux de son beau-frère Michel. Au début, dans les gradins, « Mimi » ne dit rien. Après un verre, comme s'il avait ruminé, il s'énerve tout seul et lâche à Jean-Marie : « Je t'en foutrais, de payer ça à ma femme ! »

D'un œil extérieur, on pourrait penser qu'un contremaître reste un ouvrier et que les différences de train de vie entre les deux sont minimes. Mais de l'intérieur, un chef est avant tout un chef. Et Ginette, la femme de Michel, qui n'arbore pas d'habits chics, est du même avis. Elle gagne sa vie comme ouvrière à la CIPA de Bruyères, où l'on fabrique des rétroviseurs de voiture. Plus tard, elle confiera, surprise, à Jean-Marie : « Je pensais qu'à partir du moment où tu serais chef, tu ne nous adresserais plus la parole… »

10

Le dérangement

Été 1981

La maison de plain-pied offre une belle vue sans vis-à-vis. De temps en temps, on aperçoit une biche passer au loin. À l'été, le soleil irradie par la fenêtre de la cuisine et offre aux deux jeunes parents une sensation de quiétude, de bien-être. Comme si, du haut de leur vingtaine d'années, ils avaient déjà trouvé un coin de paradis. Dans ce chalet de style vosgien, ils ont aménagé une pièce qui deviendra la chambre de Grégory. Ils imaginent l'espace qui accueillera un jour un frère ou une sœur. Trois enfants, ce serait un bon équilibre, pensent-ils. Le temps n'est plus aux fratries nombreuses, dont chacun d'entre eux est issu. À la génération précédente, le médecin de famille disait encore aux femmes : « Z'avez quatre gosses, vous pouvez bien en avoir cinq. » Comme si leur corps ne leur appartenait pas. Les traditions, et ceux qui s'en éloignent, n'ont plus la vie dure. Le droit à l'avortement, la contraception, la percée du féminisme et Simone Veil ont changé les façons de vivre

73

et les mentalités. Même le prénom donné au gamin n'a plus ce parfum suranné de la vieille France. Jean-Marie et Christine avaient hésité avec le prénom « Mickaël ». Mais ils ont choisi « Grégory », un nom plus moderne, à la mode, presque américain, « Greg ». Plus tard, son chanteur préféré sera Michael Jackson. On ira un peu moins voir Bébel au cinéma et un peu plus de films hollywoodiens. Le monde change, les repères aussi.

À la pointe de Lépanges, d'où ils surplombent les six cents habitants du village, le couple s'isole davantage. Leurs voisins les plus directs, les Méline, leur fichent une paix royale. Lorsqu'ils les aperçoivent en promenade, ils les saluent avec bienveillance, satisfaits de voir un peu de jeunesse rafraîchir leur décor de retraités. Le dimanche, le couple Villemin va déjeuner chez Albert et Monique. Jean-Marie ne descend guère que pour diriger son équipe chez Autocoussin. Christine quitte sa maison pour rallier la MCV au village, l'usine de textiles qui l'emploie depuis trois ans. Peu avant, elle avait gagné quelques salaires dans une blanchisserie, Au blanc. Mais en 1978, l'une de ses fréquentations lui avait donné un tuyau, ils cherchaient du monde à la MCV. Christine s'était d'abord montrée dubitative : « Je sais pas coudre. » Et finalement, la porte lui avait été ouverte. Le chômage n'était alors qu'un intermède, pas une fatalité.

Par la suite, en regardant les cahiers de Grégory, à son retour de l'école, elle aurait un petit pincement au cœur. Elle imaginerait la vie qu'elle aurait pu avoir si elle avait continué les études. Mais sa mère ne l'avait pas encouragée.

Et pourquoi s'en plaindre puisque aujourd'hui leur situation sociale embellit ? Avec leurs bulletins de paie, ils pourraient envisager des travaux d'agrandissement, rêver à une deuxième voiture. Jean-Marie se consacre à l'entretien de leur nid douillet et à son extension. Peu importent les railleries et les jalousies. Tout est tranquille.

Jusqu'à cette nuit du 1er août 1981 où, sans qu'ils y prêtent trop attention, l'étrange glisse un pied dans la porte du quotidien.

C'est le week-end, il est plus de 1 heure du matin. Les jeunes parents dorment dans le lit conjugal lorsque le téléphone sonne, depuis le salon. L'appareil vient à peine d'être installé. Jusqu'à la fin des années 1970, si l'on voulait prendre rendez-vous avec le médecin, par exemple, il fallait se rendre au café Lebedel pour emprunter la cabine téléphonique. À présent, plus aucun foyer digne de ce nom n'est dépourvu de ligne. Christine s'extirpe de la chambre, ensommeillée, et se hâte de décrocher avant que l'importun ne réveille Grégory. « Allô ? »

Au bout du fil, pas un bruit. Christine tend l'oreille et tente un second « allô ». Aucune réponse. Elle raccroche. Elle a déjà regagné le lit quand la sonnerie retentit une nouvelle fois. Jean-Marie fait à son tour l'effort de se mouvoir pour quitter les draps et empoigne le combiné. Toujours rien, silence total. « Ça doit être mes parents », présume-t-il à voix haute. Albert et Monique passent leurs vacances en Italie. « Ils n'ont pas dû réussir à nous joindre dans la journée et ils essaient maintenant… » Qui d'autre aurait cette idée, d'ailleurs ? La ligne n'a été activée que depuis dix jours et leur numéro ne figure pas encore dans le bottin. Le couple finit par se rendormir.

À leur retour en France, Jean-Marie demande à ses parents s'ils ont bien essayé de les appeler cette nuit-là. Monique s'en étonne : « Ah non, c'est pas nous. »

Le dérangement est oublié. Mais le mois suivant, en septembre, la situation se reproduit. C'est le week-end, encore, il est minuit, Jean-Marie et Christine ne dorment pas. Ils viennent de se coucher lorsque la sonnerie rompt le calme nocturne. Jean-Marie se lève et répond. Il ne perçoit d'abord qu'une musique, un disque passé à côté du combiné. Il reconnaît une chanson un peu paillarde très à la mode dans les bistrots du coin. « Chef, un p'tit verre, on a soif… », entonne l'interprète. Passé la surprise, Jean-Marie a envie de rire. « Christine… Viens écouter… » Curieuse, la jeune femme le rejoint et pose l'écouteur sur son oreille. Le disque s'interrompt. Une voix féminine prend alors la relève. Mais elle ne parle pas… Elle chante. En décalé, elle reprend les paroles : « Chef, un p'tit verre, on a soif… » Jean-Marie Villemin tente de nouer un dialogue : « Ah bon, tu paies ton verre ? » Mais la voix poursuit son refrain, comme si de rien n'était. Et la chanson reprend. Lassé, le père de famille raccroche. Un petit plaisantin aura trouvé leur numéro…

Trente secondes plus tard, à peine le temps de tourner les talons, le téléphone se fait à nouveau entendre. Jean-Marie prend l'appel, moins amusé. Une autre chanson démarre. C'est un slow en vogue qu'il connaîtrait sans doute s'il sortait en boîte de nuit. Sur le moment, il ne saisit que les paroles : « J'ai le mal de toi… » Et la voix de l'inconnue suit encore le rythme,

76

à la traîne. Il ricane : « T'es folle ou quoi ? » Cette fois, elle réagit… en partant dans un rire forcé, surjoué. La chanson continue. La blague commence à monter à la tête de Jean-Marie qui tente d'en savoir plus. « Tu veux quoi ? » Mais plus il l'interpelle, et plus elle rit. Le jeune homme perd son calme : « Oh, salope ! » Pour toute réaction, le rire s'amplifie, jusqu'à paraître hystérique. Comme si la femme était « en transe ». Au bout de quelques minutes, il raccroche sèchement. « C'est qui, ça ? » Avec son épouse, qui n'a plus envie de dormir, ils passent en revue leurs connaissances capables d'un tel coup. Christine émet une hypothèse : « C'est peut-être la Colin ? »

« La Colin » est l'une de ses collègues à la MCV. Par le passé, c'était même une bonne fréquentation en dehors des heures de travail. Avec leurs époux respectifs, elles avaient passé deux, trois moments : au cinéma, à la cafétéria de Mammouth à Épinal… Mais des bisbilles avaient fini par jeter un froid. En 1979, une grosse scène de ménage avait secoué le HLM des Villemin. Jean-Marie avait giflé Christine, qui s'était fait la malle pour se cacher chez sa mère. En larmes et rongé par la culpabilité, Jean-Marie l'avait cherchée partout, y compris sur son lieu de travail. À la manufacture, il était tombé sur cette Monique Colin. Par la suite, elle n'en avait pas averti Christine. À cause de ce détail fâcheux, il avait cru déceler chez elle une certaine mesquinerie, voire de l'hostilité. Pour enfoncer le clou de la discorde, une rumeur avait aussi fait état d'un trafic de meubles dans lequel le couple Colin aurait trempé. Christine et Jean-Marie en avaient profité pour couper les ponts.

Si c'est elle qui se cache derrière cette mauvaise blague, il faut en avoir le cœur net. Le lendemain, ils composent le numéro de Monique Colin sur leur cadran en bakélite, sans dire un mot au bout du fil. C'est elle qui décroche : « Allô ? Allô ? » Ils la laissent parler dans le vide suffisamment longtemps pour tenter de la confondre. Est-ce la voix de la veille ? Difficile à dire. Ils raccrochent, sans percer le mystère.

Mystère qui serait insignifiant, s'il n'était suivi d'une série d'autres dérangements, de plus en plus fréquents.

II

« Le gars »

« Le gars »

*Audition de Michel Villemin devant les gendarmes,
le 16 octobre 1984*

« Aujourd'hui, 16 octobre 1984, je suis resté toute
l'après-midi à mon domicile. Vers 17 h 30 (...), le
téléphone a sonné et j'ai décroché le combiné. Au
bout du fil, j'ai tout de suite pensé qu'il s'agissait de
l'homme anonyme qui avait l'habitude de téléphoner.
Je ne me suis pas trompé. Il m'a dit textuellement : "Je
te téléphone car cela ne répond pas à côté. Je me suis
vengé du 'chef' et j'ai kidnappé son fils. Je l'ai étranglé et je l'ai jeté à la Vologne. Sa mère est en train de
le rechercher mais elle ne le retrouvera pas. Ma vengeance est faite." Ensuite, il a raccroché. »

11

Coup de poing

Novembre 1981

Il s'est invité sans prévenir. Il a toqué à la porte, au bras de sa femme, Ginette. Jean-Marie a ouvert et s'est montré accueillant. Il a sorti une bouteille, des verres. Michel ne doit pas trop boire à cause de son ulcère à l'estomac. Et aussi parce que ça le rend mauvais. Ce n'est pas pour ce qu'il lui coûte en alcool que Jean-Marie tique un peu. C'est juste qu'il ne prévient jamais.

Dans le salon de Lépanges, la discussion est banale mais l'aîné laisse paraître un certain malaise. Quelque chose le chiffonne. « Ça va, toi ? » lui demande Jean-Marie, curieux. « Ben, pas tellement. » Et brusquement, ses yeux se voilent, comme s'il était sur le point de pleurer. À côté, Ginette fait la moue, pas très heureuse de voir son époux affaibli.

« C'est Jacky... Il m'a frappé », bredouille Michel, penaud. Jean-Marie tend une oreille attentive et écoute le récit qui lui vaut cette visite.

Tout a commencé deux ou trois jours plus tôt dans les vestiaires de l'usine où les deux frères, Michel et Jacky, prennent leur service. Ils travaillent de nuit à la filature d'Aumontzey. Sans doute parce qu'il est dérisoire, le motif de leur querelle restera longtemps flou : une histoire de pari perdu, diront-ils. L'un aurait assuré que la maison d'Albert et Monique bénéficiait d'une isolation thermique, l'autre non. Finalement, Jacky a gagné. « Alors, on a parié quoi ? » le presse-t-il, au milieu des casiers et des blouses bleues. Mais Michel refuse de reconnaître sa défaite. Et le ton monte. À tel point que des collègues interviennent pour les séparer. « On se retrouve à 5 heures et on s'expliquera ! » lance Michel, piqué dans son amour-propre, avant de rejoindre les machines.

À 5 heures du matin, après le turbin, alors que le jour d'automne n'est pas encore levé, les deux jeunes hommes poursuivent leur dispute. Ils s'accrochent en sortant de l'atelier et s'entraînent derrière la chapelle d'Aumontzey. Au bout d'une poignée de minutes, Michel revient défait, du sang sur les gencives. Nerveux mais pas très costaud, il ne fait pas le poids face à la carrure du « grand » Jacky. Au seul coup de poing reçu, il n'a pas répondu.

« Tu te rends compte, hein ? sanglote Michel, la voix chevrotante, assis sur le canapé.

— Y a pas de quoi être fier », le sermonne Ginette, le regard noir.

Elle déteste qu'on le rabaisse, sur son handicap par exemple, mais elle déteste aussi qu'il se dévalorise tout seul. Jean-Marie est plus combatif, et orgueilleux pour deux : « Mais t'aurais dû répliquer, t'aurais dû lui rendre son coup ! » L'affrontement physique ne lui fait pas peur. Et la tournure des événements l'encourage à prendre plutôt le parti de Michel.

À cause de Liliane, toujours impopulaire dans la famille, ceux qu'on appelle « les Jacky » sont tenus à l'écart. Au mariage de Michel, en avril 1975, ils n'étaient pas invités. Au Noël de l'année dernière, ils sont passés déjeuner à la maison d'Aumontzey. Mais lorsqu'ils sont revenus le soir, Albert les a fichus à la porte. Et personne ne se souvient de la raison. Probablement une broutille qui a dégénéré, comme d'habitude.

Michel rejette la responsabilité sur Jacky. S'il ne l'a pas invité à ses noces, c'est parce qu'il avait insulté Monique. « Not' mère est une putain », aurait lâché Jacky devant son demi-frère. Pourquoi avait-il eu ces mots si violents, d'ailleurs ? Peut-être parce qu'il savait déjà, sans le dire à personne, qu'elle l'avait conçu avec un homme de passage. Depuis que le secret familial a été éventé, trois ans plus tôt, en 1978, Michel s'en donne, lui aussi, à cœur joie dans l'injure. « Le bâtard », « le rat d'égout », balance-t-il à Jacky, les yeux dans les yeux… ou dans son dos.

Il y a une forme d'ironie inconsciente à parier sur l'isolation d'une maison quand on se sent soi-même isolé. Que ce soit Michel ou Jacky, chacun a de bonnes raisons de se croire exclu. Michel habite juste à côté des parents mais il se plaint de ne pas être invité aux déjeuners du dimanche, contrairement à Jean-Marie, Jacqueline ou Gilbert. Pire : quand il les entend rire derrière sa fenêtre, il est persuadé qu'ils se moquent de lui. Ça le tourmente tant qu'il est même venu écouter aux volets, une fois. Ou peut-être deux.

Depuis l'enfance, il est toujours aussi jaloux. Quand son fils Daniel, venu au monde en 1980, a été baptisé, on lui a offert une gourmette. Mais ce n'était pas assez bien à son goût et c'était surtout moins bien et moins utile que le cadeau fait à Grégory, né la même année : une poussette. La petite fête a été gâchée par son coup de sang. Ah, vraiment, on le considère moins, on le prend « pour un con » ! « Oh, je sais, je suis pas comme les autres, moi, je suis illettré », gémit-il. Mais il se complaît dans cette place à part. Certes, il ne partage pas les repas du dimanche, mais dès qu'ils sont terminés, dès que ses frères sont partis, il s'engouffre dans la maison de ses parents pour être cajolé à son tour. Ça se sait. Jean-Marie l'a déjà surpris en revenant sur ses pas sans prévenir, alors qu'il avait oublié un parapluie chez Albert et Monique.

Au fond, cette incartade à la sortie de l'usine ne serait qu'une anecdote de plus, un petit épisode noyé dans la chronique des blessures d'ego entre frangins. Mais, coïncidence ou pas, l'histoire a commencé à déraper quelques jours après cet accrochage. Comme si la déchirure entre les deux avait ouvert une brèche dans laquelle « le gars » se faufilerait.

12

L'irruption

22 novembre 1981

Il est 20 h 30, ce dimanche, lorsque Christine voit sa tranquillité troublée. Jean-Marie vient de partir travailler à Autocoussin. Un week-end sur cinq, le contremaître doit laisser sa femme seule à la maison pour diriger son équipe jusqu'à 4 heures du matin. Grégory n'est pas là, elle l'a confié à sa mère pour que son époux puisse dormir le lendemain. Elle s'installe dans le canapé pour regarder le film du dimanche soir à la télévision, lorsque le téléphone sonne.

« Allô ?

— Salope… »

Au bout du fil, une voix rauque l'insulte dans un souffle court et bruyant. Christine en sursaute :

« Ça va pas ? »

L'interlocuteur raccroche. Mais à peine a-t-elle le temps de se remettre de ses émotions que la sonnerie retentit à nouveau, stridente et métallique.

« Pute ! »

S'ensuit une bordée de grossièretés. C'est une voix masculine, grave.

« Mais qu'est-ce que je vous ai fait ? demande Christine.

— C'est pas toi, c'est ton vieux. »

Les mots se détachent lentement, la diction est saccadée. On dirait que l'homme peine à respirer.

« Eh ben, vous voulez que j'aille le chercher ?

— T'auras du mal… Il est au travail. »

L'importun, bien renseigné, parle avec un fort accent des Vosges, un accent du terroir. La série d'injures reprend. « Salope ! Pute ! » Plus il déverse son fiel, plus il est excité. Christine écourte l'échange et raccroche.

Cette fois, c'est peut-être plus qu'une mauvaise blague. Et ça ne peut pas être sa collègue « la Colin ». Son premier réflexe est de joindre Jean-Marie, « son vieux », qui a déjà dû prendre son poste. « Y a un fou qui m'appelle… Il me fait peur… » Mais son époux est bloqué à l'usine. « C'est une farce, rien de plus », la persuade-t-il. Le téléphone est un nouveau jouet pour la plupart des gens, pas étonnant que certains s'amusent avec… Rassurée, Christine peut enfin s'asseoir devant la télé pour profiter du film.

Lorsque le générique de fin défile à l'écran, elle passe sous la douche comme elle a l'habitude de le faire la veille d'une journée de travail. Mais en sortant de la salle de bains, alors qu'elle s'apprête à se coucher, elle comprend qu'elle n'est pas seule : des bruits de pas se font entendre devant la maison. Ça vient de la cour, quelqu'un est en train de marcher sur le gravier. L'instant d'après, on tambourine à la porte. Effrayée, elle se précipite dans le couloir, presse l'interrupteur pour allumer la lumière et pousse un cri. Au travers du carreau de la porte d'entrée qui vient d'être brisé, un bras s'agite et s'esquive. Surpris par l'éclairage, le vandale prend la fuite…

Ou feint de prendre la fuite. Comment en être certaine ? Désemparée, la jeune femme se sent prise au piège. L'intrus peut aussi bien se cacher juste à côté. Peut-être est-il en train de l'épier, derrière la porte, prêt à frapper à nouveau. Elle n'a même pas de voiture pour fuir. Elle ne s'imagine pas une seconde ouvrir et s'échapper dans l'obscurité. Courir pour aller où, d'ailleurs ? Tremblante et sans défense, elle se rue sur son téléphone et compose le numéro d'Autocoussin. Pour chaque chiffre, son index tourne le disque du cadran en bakélite jusqu'à la butée en ferraille, dans une répétition interminable. Le bruit de la rotation ressemble à celui d'une roue qu'on actionnerait dans un jeu de hasard. La tonalité prolonge le supplice. Jusqu'à ce que la voix de Jean-Marie mette enfin un terme à l'attente. En écoutant les propos saccadés de sa femme, il comprend que la soirée a basculé. « Appelle les Méline ! » lui dit-il. Elle s'empare aussitôt du bottin et s'exécute.

De l'autre côté de la rue, M. Méline, le voisin, ne se fait pas prier. Il s'extirpe de son lit qu'il vient de rejoindre et empoigne sa carabine. Le retraité sort, traverse la route endormie pour atteindre le foyer des Villemin, et entreprend de faire le tour de l'habitation. Un lampadaire éclaire la façade mais l'arrière reste plongé dans le noir. Ses pas résonnent dans le pesant silence nocturne. Il n'y a pas un chat, pas un signe de vie. Aucune silhouette dans les thuyas, aucune voiture garée à proximité. Le carreau à l'entrée a bien été fracturé mais uniquement du côté extérieur. Le double vitrage intérieur a résisté au coup du malfaisant. Dans le salon, Christine guette son voisin comme un sauveur. Lorsqu'il achève sa patrouille, il lui propose : « Venez donc dormir chez nous pour cette nuit, vous serez plus tranquille. » Sans hésitation, elle accepte et met fin à cette soirée cauchemardesque.

Deux jours plus tard. Jean-Marie et son frère Michel examinent les dégâts sur le seuil du chalet. Le bouillonnant aîné voulait voir ça de ses yeux. L'incident est devenu un sujet de discussion et intrigue la famille Villemin. Une chose est sûre, l'inconnu ne cherchait pas seulement à faire peur. Il voulait entrer dans la maison. Le ressort de la poignée de porte a été cassé. Comme si on l'avait forcé. Penché sur les traces de l'effraction, Jean-Marie peste en pensant aux réparations. À vue d'œil, il estime la facture à près de mille francs. Sans attendre, il a déposé une main courante à la gendarmerie de Bruyères. Trop remuée, Christine n'est pas allée à la MCV le lendemain. « C'est peut-être un ivrogne de passage », pense-t-il, bien que les hauteurs du village ne soient pas les sentiers les plus fréquentés. Le secteur est paisible. En temps normal, on peut laisser sa voiture à l'air libre, sans même verrouiller les portières. Il y a bien eu, quelques années plus tôt, un fait divers dans le coin. Un aubergiste avait accueilli un jeune vagabond, errant dans les rues de Granges-sur-Vologne, une guitare sur le dos. Au cœur de la nuit, l'hôte avait tenté de le dépouiller. Puis l'avait tué.

Un vagabond… Pourquoi pas ? En auscultant la porte endommagée, Michel n'a pas l'air de partager son sentiment. Une idée lui vient. « Ça me fait penser à quelque chose, réfléchit-il à voix haute devant son frère. Hier, quand Jacky est arrivé au boulot, j'ai remarqué qu'il était bizarre. Il avait les yeux bouffis, comme s'il avait chialé… Et en plus il avait une main bandée… » La coïncidence interpelle. Mais Jean-Marie balaie l'esquisse de soupçon. Après tout, Jacky n'a pas de voiture et ne conduit pas. Celui qui est venu ici était véhiculé, Christine croit même avoir entendu un crissement de pneus sur le gravier. Et puis Michel a toujours en travers de la gorge la bagarre qui l'a opposé à son frère, huit jours plus tôt. Sa vision des choses est peut-être biaisée.

Quant à l'appel de l'homme à la voix rauque, Jean-Marie n'y songe même plus. Il imagine à peine un lien entre les deux incidents de la soirée, le coup de téléphone d'un côté, la casse de l'autre. Terre à terre, le « chef » de famille établit une liste de mesures défensives. Christine ne dormira plus seule lorsqu'il sera du soir chez Autocoussin. Elle passera ses nuits chez sa mère, avec Grégory. On installera un volet roulant à la fenêtre de la salle de bains et une grille à la porte d'entrée. Comme pour se barricader. En prime, Jean-Marie achètera une carabine et une dizaine de cartouches à l'armurerie la plus proche. Il suffit d'une pièce d'identité pour s'en procurer.

Certaines nuits, il se met à veiller derrière la porte et zieute par la fenêtre d'éventuels passages ou mouvements. Avant de rejoindre son lit, il vérifie que tous les verrous sont bien fermés. Lorsqu'il s'absente, même le jour, il pense à Christine, à Grégory et se surprend à avoir peur.

13

Ginette

Décembre 1981

La fin d'année 1981 n'est pas des plus heureuses pour Ginette Villemin. Son époux, Michel, le reconnaîtra plus tard : c'est à cette époque qu'elle aurait commencé à exprimer un certain ras-le-bol. Les raisons de sa lassitude tiennent à une distance : quinze mètres. Soit celle qui sépare son toit de celui de ses beaux-parents, à Aumontzey. Quinze petits mètres qui permettent de saisir vaguement les conversations et de guetter les allées et venues. De s'apercevoir que Jean-Marie et sa Christine sont conviés chaque dimanche chez les beaux-parents, et qu'« il n'y en a que pour eux »… Quinze tout petits mètres que personne ne franchit pour leur rendre visite à eux, ou si rarement. Elle aurait préféré, a-t-elle confié à son mari, davantage d'indépendance. Une autre résidence que cette maison sans étage protégée par un berger allemand et dans laquelle ils se sont installés en 1977.

Ces quinze mètres ne lui ont pas toujours semblé une distance trop courte. Quelquefois, c'est tout juste s'ils ne sont pas trop longs à parcourir. Quand elle cherche à échapper à Michel parce qu'il pique une grosse colère, par exemple. Cela arrive de temps en temps et cet automne voit survenir un nouvel incident : Michel a mis Ginette dehors, et elle a trouvé refuge chez Albert et Monique. Elle a pris son fils de 1 an avec elle. Lui s'est retranché avec leur fille de 5 ans, comme un forcené retiendrait un otage. Derrière les murs, il éructe. Même son chien n'aboie pas aussi fort. Le rôle de négociateur échoit à Nonoche, le conjoint de Jacqueline Villemin. Lorsque le beau-frère gratte à la porte pour parlementer, Michel l'accueille avec un regard de fou, une haleine avinée et surtout une baïonnette dans la main, pointée dans sa direction. Sans trop de difficultés, Nonoche parvient à le maîtriser et à le traîner dans la cour. Albert surgit à son tour et lui assène le coup final, en l'assommant avec un couvercle de lessiveuse. Victoire par KO.

Albert est le mieux placé pour trouver la réponse proportionnée aux dérapages de son fils. En d'autres occasions, au bout de ces quinze mètres, on entend Michel casser de la vaisselle, malmener Ginette… Et si on le secoue pour le calmer, il menace de se jeter dans l'étang. Exactement comme Albert l'a fait avant lui, dix ou quinze ans plus tôt.

Il y a longtemps que la propriété des Villemin fait office d'abri pour Ginette. Plus précisément depuis son adolescence, au cours de laquelle elle a perdu deux êtres chers : d'abord sa mère, d'un cancer, puis son frère Daniel, fauché à 19 ans, un jour de l'An, par une voiture qui a déboîté à l'instant où il la doublait à moto. Ginette était alors une copine de Jacqueline et venait souvent dans sa famille. C'est là qu'elle a trouvé le réconfort nécessaire. Monique n'est pas devenue sa mère mais Ginette est peut-être devenue sa bru préférée. Elle lui a accordé l'affection qu'elle ne recevait plus chez les siens. La jeune femme avait en horreur les beuveries de son père et de sa nouvelle compagne, qu'elle appelait « la marâtre ».

À force de venir chez les Villemin, elle s'était liée de plus en plus avec Michel, qu'elle a préféré à un autre prétendant, Jean-Marie, qui était tombé sous le charme de son rare sourire, de son visage fin sous ses cheveux bruns coiffés en forme de casque, de son corps longiligne. Mais elle l'a trouvé trop jeune, elle 18 ans, lui 15. Michel a bénéficié du privilège de l'âge. Ginette n'oubliera jamais le moment où elle l'a embrassé pour la première fois parce que c'était le 26 janvier 1974, le jour de l'anniversaire de son frère, tué quatre semaines plus tôt. Comme un symbole, un passage d'une famille à l'autre. En l'épousant, elle s'intégrait plus encore au cercle des Villemin.

Mais une fois célébré, le mariage a laissé place aux premiers signes de violence. Ginette ne parle jamais des problèmes de son époux. À peine laisse-t-elle entrevoir sur son visage fermé de l'embarras ou une colère froide lorsqu'il perd ses nerfs, lorsqu'il pleure ou lorsqu'il faiblit. Elle l'aide à lutter contre son handicap, elle cherche à lui apprendre à lire et à écrire. La mission est difficile. Même si elle a du caractère, elle devient parfois sa victime, sa propriété, dont il se vante de jouir. Il faut que ça se sache, que ça se voie. Il faut qu'ils s'embrassent en public, c'est plus fort que lui, dit-il. Quand il est aviné, il aime rappeler que sa femme à lui était vierge pour sa nuit de noces et qu'il est le seul à l'avoir connue intimement.

Mais si elle se refuse à ses envies, il part en vrille. Comme en cette pénible fin d'année 1981.

Et puis, il y a autre chose qui pourrit cette saison, un caillou dans la chaussure, tout petit mais déjà embarrassant. Il y a ce coup de téléphone qu'elle a reçu et dont elle fait part à son entourage. Un appel très bref. Au bout du fil, quelqu'un l'aurait traitée de « pute ».

Comme Christine, le soir du 22 novembre. Dans son cas néanmoins, elle a cru identifier une voix féminine, et non masculine. « J'ai pensé que ça venait de Liliane… », confiera-t-elle, sans aucune certitude.

Liliane, suspecte facile. L'épouse de Jacky n'aime pas Ginette et c'est réciproque. On pourrait exhumer plusieurs anecdotes pour l'illustrer. Pourtant insignifiantes, mises bout à bout, elles pèsent sur l'ambiance générale. Des insultes balancées dans le dos, des rumeurs, des jalousies… Liliane bavarde, elle parle de la vie sexuelle de Michel et Ginette qui la traite de « folle » en retour. Ginette ajoute que la préférée de Monique, c'est elle. « Moi, Monique, je la tutoie », se vante-t-elle auprès de Christine. Avec celle-ci, ce n'est pas non plus la grande amitié. Toutes deux ont été enceintes en même temps et leurs grossesses ont été le prétexte à des rivalités. « Ton bébé ne sera pas gros », a lancé Ginette. Sous-entendu : le sien serait le plus fort. Christine l'a mal pris. À sa naissance, Grégory pesait 40 grammes de plus que le fils de Ginette. Jean-Marie a alors appelé sa mère pour annoncer le poids de son enfant, histoire d'être certain que Ginette serait au courant. Il sait qu'on ne peut rien dire à Monique sans que l'information fasse trois fois le tour du village et des environs dans l'heure qui suit. Histoire surtout de clouer le bec à la Ginette, qui, de sa petite voix timide, n'est pas la dernière à lancer des piques. Elle parle peu mais mal. On la trouve acide. Comme si la compétition entre les hommes n'envenimait pas suffisamment la situation, il faut que des concurrences naissent aussi entre leurs compagnes. Petites mesquineries et grandes susceptibilités.

Qui a pu téléphoner à Ginette pour l'offenser ? Et à Christine auparavant ? Ces mystères troublent d'autant plus les Villemin qu'une autre personne est visée : Monique. « Moi aussi, je me suis fait traiter de putain », rapporte-t-elle. Par une voix masculine, selon sa perception. Albert a également pris quelques appels mais l'interlocuteur a raccroché immédiatement, sans rien dire. A priori, pour le moment, seules les femmes sont visées. Sur ce terrain fertile, on voudrait semer la zizanie qu'on ne s'y prendrait pas autrement.

14

« Popov »

13 décembre 1981

Michel est furieux. Oui, une fois de plus. D'un pas fébrile, il grimpe cette côte irrégulière dans le froid pinçant de l'hiver vosgien. La colère lui tient chaud. S'il marchait jusqu'au bout de la rue montante, qui surplombe Aumontzey, il se retrouverait dans les bois. Mais au lieu-dit La Fosse, la maison de Bernard Laroche se dresse comme un poste de garde-frontière avant la solitude forestière. C'est lui qu'il vient voir. En temps normal, c'est à la fois son cousin et son meilleur ami. Lors de leurs virées d'adolescents, quand ils rentraient du bal ou du restaurant, Laroche conduisait la voiture et Michel prenait place à ses côtés. La vie les a brièvement éloignés l'un de l'autre, le temps que chacun construise son nid, mais ils aiment se retrouver. Sauf cet après-midi-là.

La raison du courroux de Michel tient en un appel téléphonique reçu ce dimanche 13 décembre, autour de 13 heures : les chiffres lui ont porté malheur. Un correspondant anonyme lui a passé un coup de fil désagréable. En décrochant, il a entendu une voix rauque et masculine. Avec le temps, les mots articulés avec une intonation traînante et déguisée ont pu se déformer. Dans le souvenir qu'il en gardera, « le gars » lui a dit à peu près ceci : « Ta femme te fait cocu avec Popov, c'est lui le père de ton enfant. »

« Popov » est le surnom de Bernard Laroche. Lequel se trouve contraint d'accueillir son cousin et d'écouter son récit nerveux. Michel lui rapporte les accusations du « gars », mais Laroche encaisse avec des yeux encore plus ronds que d'habitude : « T'es pas un peu fou, non ? J'espère que tu vas pas croire à ça », lui répond-il aussitôt. De l'avis de tous, « Popov » est un jeune homme de 26 ans, calme, voire un peu éteint. Sa tranquillité apparente semble rassurer l'instable Michel dont la colère retombe aussi vite qu'elle est montée. « Non, non… j'ai confiance en toi et en ma femme », conclut-il, sans insister davantage.

Ce ne serait donc que des racontars ; Bernard ne lui ferait pas ça, car il est davantage que son cousin et plus qu'un frère. Il l'a dit, un jour : « Je préfère Bernard à mes propres frangins. » Certes, c'était sous le coup d'un énième emportement, mais ce n'était pas un mensonge pour autant. Ils se voient ou se téléphonent souvent, partent couper du bois ensemble, partagent des repas riches et arrosés. Laroche a de l'appétit et une cave à vin bien garnie, même si ce sont plutôt des promos du supermarché du coin que des grands crus. Ils s'invitent l'un l'autre, à tour de rôle. Quand c'est Bernard qui frappe à la porte de Michel sur les coups de midi, les apéros s'éternisent. De la maison d'à côté, où elle ne manque rien ou presque, Monique rouspète. « C'est pas bon pour Michel de boire autant et de déjeuner tard, c'est pas bon pour son ulcère. » Mais son fils se laisse entraîner. Quand la compagne de Bernard est de la partie, ce n'est pas plus sobre. Marie-Ange Laroche, aux antipodes de Ginette, est une épicurienne connue pour sa « grande gueule » et son goût de la fête. « Elle boit comme un homme », s'amusent ceux qui ont déjà dîné à sa table. Elle est capable de sortir une bière du frigo et de l'avaler cul sec illico. Ce qui explique probablement ses maux de ventre. De quoi parlent-ils tous lorsqu'ils se reçoivent ? De pas grand-chose. Bernard est un taiseux, qui ne se livre pas facilement. Michel jacasse davantage et raconte des anecdotes de famille. Ils causent aussi du boulot puisqu'ils sont ouvriers tous les deux. Bernard trime à Granges-sur-Vologne, pour les tissages d'Ancel, l'autre grand employeur de la région, avec la filature Boussac. De temps en temps, il laisse percer une pointe d'inquiétude, un soupçon de tracas, en évoquant son fils, Sébastien, né un an plus tôt avec un kyste à la tempe droite. Dix jours après sa naissance, il a été opéré et, depuis, il porte un drain derrière l'oreille en permanence. D'aucuns qualifient cette particularité de handicap, mais jamais devant ses parents : « Il n'est pas handicapé, il est normal », assurent-ils. Alors Michel n'en parle pas.

Il n'a pas plus envie, à présent, de parler de cette histoire d'adultère. Des bobards, vraiment. Bernard, avec sa tête de nounours, est bien trop gentil pour lui faire ça. Sur une photo, on les voit tous les deux assis sur un canapé, Michel torse nu, Bernard vêtu d'une chemisette. Ça doit être vers la fin 1980. Chacun tient son bébé dans les bras et lui donne le biberon : Daniel Villemin et Sébastien Laroche sont nés à la même saison. Pour rigoler, Michel fait la grimace, les lèvres en forme de bec de canard. Il en fait toujours des tonnes. Bernard, lui, sourit timidement, le regard amorphe. La pile électrique et la pile déchargée. Complémentaires, en quelque sorte.

Pourtant, en 1979, une légère tension avait perturbé leur relation. L'incident était survenu à l'occasion d'une soirée chez Ginette. On buvait, on chantait, on riait. Michel, un peu fatigué, était allé se reposer dans une chambre. Pendant ce temps, Bernard avait invité Ginette à danser au milieu du salon. Tandis qu'il l'enlaçait, il lui avait glissé ces mots à l'oreille : « Je t'aime… Il y a longtemps que je t'aime… » Ginette, « choquée », avait écourté le slow et s'était confiée à Jacqueline Villemin, en s'isolant peu après dans la cuisine. Elle l'avait aussi rapporté à Monique pour lui demander conseil. Sa belle-mère lui avait suggéré : « Tu devrais le dire à Michel… Mais en y allant doucement. » C'est ce qu'elle avait fait, mais Michel avait piqué une grosse colère. « Ben puisque c'est ça, je vais lui faire pareil, avec sa femme à lui ! » Pour autant, il n'avait jamais mis ses menaces à exécution ni prononcé la moindre déclaration d'amour à Marie-Ange. Il s'était contenté de couper les ponts avec Bernard Laroche, sans prévenir. Son cousin avait paru peiné de perdre son ami. De lui-même, il était venu le chercher pour lui proposer une de leurs rituelles coupes de bois. Comme avant, comme si de rien n'était. Au calme, au-dessus des stères, il s'était expliqué. « J'étais jeté », s'était excusé le fautif, prétextant un taux d'alcoolémie trop élevé pendant la soirée… Et Michel avait passé l'éponge.

Le gars du téléphone était-il au courant de ce faux pas ? Il semblait bien informé puisqu'il avait employé, pour désigner Laroche, le surnom « Popov », aux accents si soviétiques. À l'atelier, on l'appelle plutôt « Caillou » à cause de son nom de famille. Les seuls qui lui donnent du « Popov » font partie de la famille, c'est-à-dire du cercle des Villemin ou des Jacob. Thérèse Jacob, sa mère, l'une des sœurs de Monique, est morte en le mettant au monde, en 1955. À cette époque, les césariennes se terminaient parfois en hémorragies fatales. Un drame à l'origine de cette grande proximité entre Laroche et sa tante, qui l'a en partie élevé et pris sous son aile. En lui rendant fréquemment visite, Bernard Laroche a pu resserrer ses liens avec leur voisin et fils, Michel, des liens si forts que même la rumeur n'a pas réussi à les affaiblir, des liens si forts que même la jalousie maladive de Michel semble exceptionnellement maîtrisée.

Pourtant, en y réfléchissant, il y a eu une autre fois où… Quelques mois après la fameuse soirée, on a aperçu Ginette dans la voiture de Bernard. C'est la voisine des Laroche, Jacqueline Jacob, qui a cancané. Le monde est petit, tout petit, et tout le monde se connaît. D'autant que cette voisine fait elle-même partie du cercle des Jacob, la famille de Monique. Est-ce par peur d'être soupçonnée de dissimulation que Ginette a confirmé le potin ? Bernard Laroche l'aurait croisée un soir à 21 heures alors qu'elle sortait de son boulot, l'usine de la CIPA à Bruyères. Il lui aurait proposé de la ramener et elle aurait accepté. Selon elle, Laroche a tenté une seconde fois de la raccompagner, au sortir de la manufacture. Mais cette fois, elle aurait refusé, histoire de ne pas prêter le flanc à la rumeur, qui irait bon train. « Si ça continue, on dira que le gosse que j'attends est de Laroche », avait-elle ironisé à cette époque, tandis qu'elle était enceinte.

Ce que vient expressément d'avancer le gars à la voix rauque. À croire qu'il a pu entendre ces mots et eu vent de ces allégations...

Michel se retrouve donc, quelques jours après Ginette, dans le collimateur d'un correspondant anonyme. Comme une contamination. La première avait perçu une voix féminine. Cette fois, le timbre était masculin. À partir de ce 13 décembre 1981, le type se met à téléphoner à plusieurs reprises au couple Michel-Ginette. Quand c'est elle qui décroche, il se contente de la traiter de « pute » ou de « salope ». Mais quand c'est lui, il est nettement plus bavard. Comme s'il était sa véritable cible. Michel peut alors entendre son accent vosgien si prononcé. « Cocu, cocu », se moque-t-il.

15

Le père Jacquel

23 janvier 1982

« À quoi ça sert ce que vous faites ? » En cette fin d'après-midi, la nuit n'est pas encore tombée sur la maison d'Aumontzey. Jacky et Liliane ont profité de leur samedi pour passer une tête chez Albert et Monique. En général, ils privilégient la semaine pour leur rendre visite. Ils n'y vont jamais le dimanche, malgré la présence de Jean-Marie, Gilbert, Jacqueline et leurs moitiés. Lesquels évitent les autres ? Chacun se rejette la faute.

En arrivant ce jour-là, le couple découvre Albert en pleine expérimentation. Par la fenêtre ouverte de la cuisine, il guide son gendre Nonoche, qui s'affaire dans le jardin. L'époux de Jacqueline Villemin est en train d'installer deux rétroviseurs avec du fil de fer, aux poteaux à linge. À mesure qu'Albert livre ses indications, il contemple de plus en plus distinctement le reflet de sa cour dans ces miroirs de fortune.

Dehors, Jacky assiste à l'ouvrage avec circonspection. « C'est à cause du "gars"… », lui explique son père.

Le fameux « gars ». Depuis deux mois et l'épisode du carreau brisé, ses manifestations alimentent les conciliabules familiaux. Il a perturbé plusieurs domiciles. Albert et Monique ont aussi reçu des appels : ils ont perçu des sifflotements, des bruits « insolites » et il y a lieu de penser qu'il s'agit du même casse-pieds. Le père Villemin a décidé de prendre des mesures. Dans l'un de ses placards, une carabine prend la poussière. Il l'aérerait sans hésiter. Mais depuis sa maison, il ne peut surveiller les alentours comme il le souhaiterait. Même en faisant le guet à la fenêtre de la cuisine, on se heurte à un angle mort, qui dissimule l'entrée de la cour intérieure. Si quelqu'un osait s'introduire, aurait-il le temps de réagir ? Son gendre Nonoche, toujours prêt à rendre service et qu'il apprécie tant, a proposé une solution artisanale : accrocher deux rétroviseurs pour permettre une vue d'ensemble, sans avoir à bouger de sa chaise lorsqu'il soupe. D'abord intrigué, Albert constate cet après-midi-là l'efficacité de la trouvaille. Nonoche remballe les rétros. « On les installera plus tard », avec une fixation plus solide que ces fils rudimentaires.

Liliane délaisse le petit groupe d'hommes pour gagner la cuisine. « Vous pouvez me faire un café ? » demande Albert, en s'asseyant à table, à sa place habituelle. Tandis qu'elle pose les mazagrans sur la nappe à fleurs, une voiture blanche se gare devant la maison. Un nouveau visiteur s'en extirpe et longe furtivement la haie : « Salut, Popov ! » lance Jacky en lui serrant la main. C'est Bernard Laroche qui vient voir Michel. L'heure de l'apéro n'est pas loin, mais l'hôte s'est absenté. Le café est prêt. Albert avale son petit noir avant de ranger les deux rétroviseurs dans sa cave. Bientôt, la nuit hivernale enveloppe Aumontzey. Aucun intrus ne perturbera son sommeil.

Trois jours plus tard, le téléphone sonne chez Michel. Il est près de 14 heures et le jeune homme passe l'après-midi chez lui. Lorsqu'il décroche, le silence qu'il perçoit ne laisse guère de doute. Il commence à connaître ce silence-là : c'est celui qui annonce « le gars ». Quelques sifflotements se font entendre. « L'autre » joue. Il faut patienter avant qu'il ne daigne parler de sa voix traînante, tantôt un peu éteinte et lointaine, tantôt collée au combiné et incantatoire, comme si chaque syllabe était un sortilège lancé. La discussion s'engage et, cette fois, il est un peu plus bavard que d'habitude. Trop, peut-être. Passé les mauvaises blagues, il semble prêt à donner des indices sur son identité. « On a été copains, on a fait des javas ensemble, souffle-t-il à Michel. Je te connais très bien… » Le fils Villemin a beau tenter de reconnaître le phrasé d'un proche, il n'y parvient pas.

« Non, c'est pas possible.

— Oh, que si… »

« Le gars » se met alors à décrire l'intérieur de sa propriété. Le garage, le papier peint noir et blanc, les fleurs imprimées. Il ose : « On a le même buffet »… avant de s'interrompre. « Oh, merde ! » lâche-t-il, comme s'il s'était trahi. Et il raccroche aussitôt.

Planté là, le téléphone à la main, Michel tente de comprendre. Il tourne dans son salon, rumine, fait les cent pas devant son buffet en Formica, se repasse les éléments en boucle. Et soudain, ça fait tilt.

Ni une ni deux, il se précipite dans la maison voisine, chez ses parents. Ces temps-ci, ça ne va pas fort avec son père ; ils ne se parlent plus depuis une énième dispute insignifiante. Mais cette histoire le démange trop pour qu'il freine devant un orgueil mal placé. En entrant, il tombe nez à nez avec lui et lui fait part de son intuition en s'exclamant : « C'est Jacquel ! "Le gars", c'est Jacquel ! » Albert calme d'emblée son ardeur en posant son doigt sur ses lèvres : « Chut ! Chut ! » De son autre main, il désigne la pièce d'à côté. Monique est en pleine conversation téléphonique. En entendant le ton de sa mère, sur la défensive, Michel comprend immédiatement. « Le gars » est au bout du fil. Il a dû composer leur numéro juste après avoir écourté son échange avec Michel. En changeant d'interlocuteur, il a aussi changé de registre. Du sarcasme, il passe à la menace : « Tu peux mettre tes rétroviseurs, ça ne m'empêchera pas de venir... Je passerai par-derrière... »

L'échange dure deux ou trois minutes. La mère de famille ne se laisse pas intimider. Sitôt l'appareil reposé, Michel interroge ses parents : « C'est quoi cette histoire de rétroviseurs ? » Il était absent lors des essais, le samedi précédent. Albert et Monique lui exposent leur plan de surveillance avant de confronter leurs informations et leurs théories. Une chose semble claire : ce « gars » en sait beaucoup. Qui peut connaître ces détails à leur sujet ? Combien étaient-ils à assister à la pose des rétroviseurs ? Nonoche était présent mais il y avait aussi Jacky et Liliane. D'autres ont pu être mis au parfum. Monique a dû s'en faire l'écho à l'épicerie ou en allant faire valider sa grille de Loto, au bureau de tabac de Granges. Parce que ce sale plaisantin l'obsède de plus en plus. À Aumontzey, le bruit se répand : il y a un drôle de gusse qui enquiquine les Villemin.

Michel n'en démord pas. « C'est Jacquel ! Il a dit qu'il me connaissait ! Il a aussi dit qu'on avait le même buffet !

— Jacquel a le même buffet que toi ? questionnent ses parents.

— Non, mais Jacky, oui ! »

À budget égal et étant donné l'offre commerciale du secteur, tout le monde doit plus ou moins avoir le même buffet. Et si ce n'est son frère, c'est l'un de ses proches. En tout cas, ses soupçons se portent vers ce cercle-là. Les charges s'accumulent : Jacky se pointant à la filature avec une main bandée, au lendemain de la vitre brisée chez Jean-Marie, Ginette croyant reconnaître la voix de Liliane au téléphone. Et maintenant la référence au buffet... « Comme si ça lui avait échappé », précise Michel. Ce gars n'a pas seulement une voix rauque, on dirait aussi qu'il est essoufflé, qu'il a des problèmes de respiration. Or, qui est susceptible de souffrir de ce genre de troubles, à la ronde ? Roger Jacquel, le père de Liliane !

À 51 ans, l'homme a déjà enduré une vilaine maladie au poumon. Ce qui ne l'empêche pas de continuer à tirer sur ses clopes. Quand il parle vite, on croit voir son thorax se soulever, comme s'il cherchait de l'oxygène.

À supposer que cette particularité vocale corresponde, quel serait son mobile ? Jacquel n'a jamais été en odeur de sainteté chez les Villemin. Il y avait eu l'altercation avec Michel lors d'un bal, mais ce n'était pas la seule. Une autre scène avait frappé les esprits : peu de temps avant son mariage avec Jacky, Liliane avait découché. Dans la soirée, son père s'était pointé chez Albert et Monique avec la ferme intention de la trouver et de la ramener. Mais il était « cané » en frappant à la porte et le ton était monté.

Ça se sait, ça se dit : Roger Jacquel a un problème avec l'alcool. Pour ne pas se faire surprendre par sa femme, il achète, en cachette, du vin rouge au supermarché. Parfois, on l'aperçoit au comptoir d'un troquet. Quand il est sobre, on ne lui reproche rien, il est même plutôt sympathique. Mais dès qu'il a un coup dans le nez, il n'est plus commode du tout. Passé une certaine heure, on doit lui interdire de consommer et le mettre à la porte du bistrot. C'est peut-être à cause de ce qu'il a vu pendant la guerre. Les seuls moments où le briscard se met à pleurer, c'est quand il repense à l'Indochine perdue, à cette boucherie dans laquelle il a combattu, au début des années 1950, quand les cadavres de gamins suppliciés reviennent le hanter.

Mais il ne s'enivre pas tous les soirs. C'est « irrégulier », « une fois par mois » tout au plus, confessera-t-il, « quand ma femme me contrarie ».

Depuis qu'à la fin des années 1970 la médecine du travail lui a reconnu une invalidité en raison de sa maladie, la tentation de la boisson est encore plus forte. Auparavant, il suait à la chaîne, chez Autocoussin, la même boîte que Jean-Marie, mais pas au même poste. Lui faisait partie des agents de production, de ceux qui mettent les mains dans le cambouis. Les chefs, ce n'était pas sa tasse de thé. Comme il était encarté au Parti communiste, on serait tenté de justifier ce ressentiment par ses convictions politiques prolétariennes. Mais la cause est plus profonde. Cette année-là, en 1974, un incendie ravage l'usine. Le personnel réussit à s'échapper avant que les flammes n'atteignent l'atelier. Mais, prisonnier du brasier, un employé ne survit pas : c'est un ami de Jacquel. D'après les rumeurs, on aurait aperçu tous les surveillants de chaîne prendre leurs jambes à leur cou. Pas un seul n'a essayé de sauver le pauvre ouvrier. Jacquel n'a jamais oublié. Deux ans plus tard, dans un coup de sang, il balance ses quatre vérités à la figure de l'un des « chefs ».

Pourtant, Michel peinerait à étayer ses soupçons sur des arguments aussi minces. On pourrait concevoir que le père Jacquel veuille surtout venger sa fille, Liliane, puisqu'elle reste la principale cible de l'acrimonie des Villemin, même si elle passe dire bonjour ou partage un café sans qu'on lui claque la porte au nez. Mais dans son dos, Albert et Michel multiplient les mots durs à son égard : « la folle », « la putain », « la traînée », « la moins que rien »…

Leurs relations sont exécrables quasiment depuis leurs premiers contacts, mais une anecdote a remis de l'huile sur le feu. Quelque temps auparavant, après un déjeuner en famille, Albert était allé nourrir les lapins, derrière la maison. Liliane avait tenu à l'accompagner. Devant les clapiers, le père Villemin s'était brusquement inquiété. En jetant un œil aux cités jaunes, peuplées d'ouvriers, et situées en face du jardin, il s'était écrié : « Allez rejoindre les autres ou éloignez-vous de moi, Liliane, ça risquerait de jaser. » Des fenêtres de ces HLM, on pouvait les apercevoir. Liliane avait trouvé cette réaction curieuse, un brin paranoïaque. Mais c'était oublier qu'Albert voyait systématiquement de l'ambiguïté dans les rapports hommes-femmes. C'était plus fort que lui : dès qu'une dame lui souriait, il croyait qu'elle lui faisait du gringue.

Liliane aurait raconté qu'Albert lui avait fait des avances. Rumeur ? Mensonge ? Malveillance ? Quoi qu'il en soit, ces mots sont revenus aux oreilles de Monique d'abord, puis d'Albert ensuite. « Elle m'a fait un pied de cochon ! » a-t-il fulminé, avec sa propre expression, encore plus hostile qu'avant.

Autant dire que l'hypothèse d'une machination des Jacquel ne résonne pas dans le vide, chez les Villemin. Et bientôt, « le gars » décide d'enclencher la vitesse supérieure.

16

Puzzle

Avril 1982

À bien y réfléchir, le père Jacquel n'est pas le seul suspect sur la liste. Albert et Monique se repassent encore et encore le film des événements. À la table du dîner. Au téléphone avec leurs enfants. Ou la nuit avant de s'endormir. Ensemble, à la recherche d'un coupable, ils déroulent le fil de leur entourage, des frères et sœurs, des cousins et cousines, des voisins et voisines, se perdant dans les tentacules de la généalogie familiale et des cercles concentriques. Si l'on fait abstraction des détails que leur livre leur bourreau, comme autant de petits cailloux, si l'on pose les choses à plat, une évidence ne fait guère débat pour le couple : ce type a « un grain ». Pour qu'il s'amuse à leur pourrir la vie ainsi, il doit avoir une araignée au plafond. Justement, un homme leur paraît un peu déséquilibré dans le coin, un certain Christian, le mari d'une nièce de Monique. Ils n'ont aucun contentieux avec lui, mais on le dit « malade des nerfs », un peu fêlé, depuis que son enfant s'est fait décapiter par une voiture en ramassant un ballon dans la rue. Alors, pourquoi pas lui ?

Seulement voilà, en ce jour d'avril 1982, le corps de ce Christian se balance au bout d'une corde, dans son grenier. Sa « maladie » aura eu raison de lui : il s'est suicidé. Les obsèques ont lieu le mardi 27 avril à 15 heures. Albert travaille à la filature et doit laisser sa femme se rendre seule à la cérémonie. En cheminant vers le cimetière, sous son voile noir, Monique se prend à imaginer que les appels malveillants vont cesser. Si Christian était vraiment « le gars », alors l'affaire est terminée et, dans ce malheur, il y aurait au moins un soulagement. Passé la triste réunion familiale, Monique rentre à la maison où l'attend Lionel, son sixième et dernier enfant. À 10 ans, il est capable de rester seul au domicile. Mais en poussant la porte, la mère se fige. Dans la cuisine, elle aperçoit son fils, agité, le visage blême. « Qu'est-ce que tu fabriques ? » lui demande-t-elle, interdite. Ses yeux se posent sur la table : il a disposé tous les couteaux qu'il a pu trouver dans les tiroirs, prêts à être utilisés, si un intrus fait irruption. « Il a pas arrêté d'appeler… », se justifie le gamin, terrifié. Aussitôt que Monique s'est absentée, « le gars » a téléphoné en rafales.

La piste « Christian » le rejoint dans la tombe : à l'évidence, le nuisible est toujours de ce monde. Et les saisons qui suivent sèment encore plus le trouble. L'année 1982 transforme ce mauvais jeu en harcèlement.

En ce mois d'avril, le téléphone sonne frénétiquement. À tel point que Monique décide de noter chaque dérangement sur un agenda qui traîne près du poste. On retrouvera bien plus tard, coincées entre le mur et le meuble, des feuilles sur lesquelles elle a dressé la liste chronologique des appels. 13 avril : 3 appels. 14 avril : 7 appels. 15 avril : 5 appels. 20 avril : 17 appels. Ça n'arrête pas. La plupart du temps, le correspondant reste silencieux. Parfois, il met de la musique. Plus rarement, il lâche quelques mots, surtout des insultes contre Monique. Il a ses créneaux favoris : le midi ou le soir après 19 heures, quand les époux Villemin sont assis sur leur canapé, devant les informations régionales de FR3.

Gilbert, l'avant-dernier fils, âgé de 20 ans, leur soumet une autre idée : « Vous devriez l'enregistrer ! » Histoire d'identifier la voix ou au moins certains indices en fond sonore permettant de confondre un suspect. Pour les aider dans cette tâche, il leur prête le magnétophone qu'il a acheté quelques mois plus tôt. Le micro est scotché au combiné, l'appareil est installé à côté du téléphone, à portée de main pour que la touche « record » puisse être activée facilement.

L'opération se révèle fructueuse dès les premiers essais. Fin avril, la sonnerie retentit. Monique décroche : silence. C'est lui.

« Parle, va, sacré tordu ! » lance-t-elle. Son injonction tombe dans le vide. Nouvelle tentative : « T'as perdu ta voix ?

— Connard. »

C'est encore cette voix rauque.

« Connard ? Mais connard toi-même ! » renchérit Monique, surprise.

L'interlocuteur poursuit, mais les décibels sont trop faibles pour que le magnétophone puisse enregistrer son verbe.

« Cocu ! » provoque Monique, en sachant bien que « le gars » a fait des infidélités supposées des uns et des autres son thème de prédilection. « Eh ! Mais parle pas quand il parle ! » coupe Albert, qui se tient à côté, l'écouteur à l'oreille, en désignant la cassette en train de tourner dans l'appareil.

« Gros porc ! Pauv' con ! » insiste Monique, à mi-chemin entre la provocation et la colère. Au bout du fil, l'autre demeure impassible. Imperturbable. Le débit vocal toujours au même niveau, aucune émotion perceptible.

« Je vous ferai la peau…, assène-t-il, froid comme une lame.

— Nous aussi, on peut t'faire la peau ! J'n'ai pas peur, hein !

— Je commencerai par celui qui est le chef…

— Ah, tu commenceras par celui qui est le chef ? Eh ben, celui qui est chef t'emmerde !

— J'y ai déjà fait peur. J'recommencerai.

— Y t'emmerde, celui qu'est chef, tu peux toujours aller l'trouver.

— J'ai déjà fait peur à sa femme.

— Oui, t'y as déjà fait peur… T'as été lui casser son carreau !

— Ha, ha !

— Sacré salaud !

— Je recommencerai.

— Tu recommenceras ?

— Bientôt.

— D'accord, t'as raison…

— Et là, j'irai plus loin.

— Ben nous aussi, on ira plus loin. Parce que tu n'connais pas la famille Villemin, crois-moi. Si la

116

famille Villemin te tombe sur le dos, crois-moi qu'tu sauras à qui t'auras affaire…

— Elle a eu peur. Mais vous aussi, vous aurez peur… Y a qu'des crapules comme vous qui sont bien placées. »

Cling, il raccroche. Derrière ses répliques, Monique dissimule mal son effroi. En quelques mots, « le gars » vient de revendiquer la tentative d'intrusion chez Jean-Marie et Christine. Ce qui n'était jusque-là qu'une hypothèse est désormais une certitude pour les Villemin : la menace n'est pas que téléphonique, elle est aussi physique.

Dans la soirée, l'homme appelle de nouveau. Monique presse la touche du magnétophone. Albert et leur fils Gilbert l'entourent et n'en perdent pas une miette. La voix est toujours aussi glaçante :

« Sale femme…

— Hum, hum, on peut en dire autant de toi, tu sais…

— Je la surveille…

— Tu la surveilles ?

— J'sais qu'en ce moment, elle est toute seule… Alors elle a beau débrancher son téléphone, je rentrerai. Peut-être ce soir, ou demain… Ha, ha, ha ! Elle, d'un côté, elle n'aura pas à se pendre…

— Ah, oui, t'as raison… Mais tu sais c'qui t'attend, mon p'tit gamin ?

— Bande de cons, vous m'aurez jamais.

— On t'aura jamais ?

— D'ailleurs, on peut pas me toucher, car j'ai une pension, et je suis reconnu malade.

— T'es reconnu malade tellement qu't'es feignant !

— Tu disais pas ça quand je venais te sauter, il y a…

117

— Oui, oui…

— Quand ton vieux était à l'hôpital… y a déjà quelques années de ça… Ha, ha… »

Son rire sépulcral laisse place au silence. Il raccroche toujours le premier. Dans la pièce, on échange des regards angoissés.

« Y va aller faire peur à Christine ce soir…, commente Monique. Elle est surveillée.

— Il faut y aller ce soir, je sens que…, poursuit Albert, sans terminer sa phrase.

— Téléphone tout de suite à Christine ! » exhorte Gilbert.

Tandis que Monique s'apprête à composer le numéro, Albert s'égare dans ses pensées en voulant rassembler les pièces du puzzle. « J'étais à l'hôpital, qu'il a dit ? »

17

Une silhouette
dans la nuit

1982

Jean-Marie n'est pas le moins courageux mais en écoutant la cassette, dans le salon d'Aumontzey, il a frémi. Non pas parce qu'il a pu entendre pour la première fois cette « voix rauque », enregistrée par le magnétophone de ses parents, mais parce qu'il a enfin compris : « C'est moi, la cible. » « Le chef », « la crapule » : c'est lui qu'on vise, lui et sa femme. La menace directe ne concerne qu'eux. Il n'est plus question d'un ivrogne égaré qui aurait brisé son carreau, en novembre 1981. C'est bien « le gars » qui a tenté de s'introduire chez lui. Les grilles aux fenêtres, la carabine dans le placard : ça ne suffira peut-être pas. Bientôt, Jean-Marie se procure un revolver qu'il confie à Christine. Il scie lui-même le canon de l'arme pour qu'elle puisse tenir dans son sac à main.

À partir du printemps 1982, « le gars » semble cependant réserver la primeur de ses appels à Albert et Monique. Pour autant, Jean-Marie vérifie toujours avant de se coucher que les portes sont verrouillées. Même armée, Christine n'est pas rassurée. Quand elle fait ses courses au supermarché, elle se demande si elle n'est pas suivie dans les rayons. Ou si l'inconnu ne l'attend pas sur le parking. Les nuits où son époux travaille chez Autocoussin, elle continue à dormir chez sa mère. Sans nouvel appel, l'inquiétude s'atténue progressivement. Mais en leur absence, un autre incident s'ajoute à la chronique.

Au mois d'août, Jean-Marie et Christine s'échappent en Italie. Pour profiter de leur semaine de vacances, la première de leur vie passée hors des Vosges, ils confient la garde de Grégory à sa grand-mère maternelle. Gilberte Chatel prend alors ses quartiers dans le chalet de sa fille, sur les hauteurs de Lépanges.

Ce jour-là, la sonnerie métallique retentit sur les coups de 11 heures. À son domicile, elle n'a pas le téléphone. Elle n'a donc jamais pu entendre celui qui a terrifié Christine mais elle s'est fait conter par le menu la liste de ses agissements. Lorsqu'elle empoigne le combiné, elle perçoit, à son tour, une voix masculine et rauque. « On avait l'impression qu'il avait du mal à respirer », précisera-t-elle. Elle distingue aussi de la surprise dans son intonation.

« T'as donc tellement la trouille que tu parles comme ça, la femme du chef ? lui lance-t-il d'emblée. Je reconnais pas ta voix.

— Je ne suis pas Christine, je suis sa mère », répond-elle.

Comme s'il était déçu, l'homme raccroche.

Gilberte ne s'inquiète pas outre mesure. L'après-midi passe et, à la nuit tombée, vers 22 heures, tandis

que Grégory est couché, la sonnerie retentit de nouveau. « Allô ? » Cette fois, il ne prend pas la peine
d'engager la conversation et coupe court. Sans doute
veut-il vérifier que Christine n'est pas rentrée. Et sa
mère se garde bien de lui dire qu'elle est à l'étranger
pour plusieurs jours.

C'est plus tard encore, au cœur de la nuit, dans
l'obscurité de son lit, que la grand-mère vit sa plus
grande frayeur. Des pleurs l'arrachent à son sommeil.
Elle ouvre les yeux et réalise : la plainte résonne dans
la chambre de Grégory. Il doit émerger d'un cauchemar. Gilberte Chatel se lève et va rassurer l'enfant.
Mais ce n'est pas suffisant. Pour sécher ses larmes,
elle doit le prendre dans ses bras et le coucher à ses
côtés. Enfin rassuré, Grégory se rendort. Pas Gilberte.
Elle a toujours du mal à rejoindre les bras de Morphée
une fois qu'elle les a quittés. L'horloge tourne. Son
insomnie est totale lorsqu'un bruit se fait entendre.
Ça vient de l'extérieur, de la cour. Comme un crissement sur le gravier. Elle tend l'oreille. L'inquié-
tante évidence s'impose : il y a un rôdeur autour de
la maison. Tendue, la quinquagénaire se glisse hors
du lit sans réveiller Grégory. Son gendre Jean-Marie
l'avait avertie avant son départ : en cas de problème,
sa carabine est dissimulée dans un placard. Gilberte
Chatel n'est pas du genre à se laisser faire. Elle se
dirige droit vers la cachette et presse l'interrupteur de
la pièce. Ses mains moites ouvrent le meuble, s'emparent de l'arme. Éclairée par l'ampoule, elle charge
la culasse d'un coup brutal. Trop brutal : le mécanisme se bloque. La voici démunie. À cet instant, un
nouveau mouvement bruit dehors. On dirait que l'intrus s'éloigne. Gilberte Chatel se précipite à la porte

d'entrée, les yeux écarquillés à travers le petit carreau. Dans la rue, un homme est en train de décamper. La lune éclaire sa silhouette qui s'engouffre dans une voiture et quitte les lieux. Le véhicule s'élance sur la pente, le moteur à l'arrêt, en roue libre et en silence. Elle décrira un individu d'une cinquantaine d'années, assez rond, et dont le véhicule, plutôt carré et de couleur sombre, ressemblait à une Renault 4L. Dans son souvenir, il était seul.

Beaucoup l'avaient déjà entendu. Mais elle l'a peut-être vu. Un visiteur d'une cinquantaine d'années ? L'âge du père Jacquel ! C'est la déduction à laquelle aboutit Jean-Marie, lorsqu'il écoute le récit de sa belle-mère quelques jours plus tard. Décidément, tout le ramène au père de Liliane. Comme cette cassette enregistrée par Albert et Monique. Une phrase saisie par le magnétophone a retenu l'attention générale. « On peut pas me toucher, car j'ai une pension, et je suis reconnu malade. » Qui dans leur entourage est « reconnu malade » et touche une pension d'invalidité ? Roger Jacquel. Encore et toujours lui. « Le gars » semble s'amuser à semer des indices, plus ou moins grossièrement. Est-il assez malin pour manipuler son monde ? Ou trop bête pour mentir ?

Des indices, Jean-Marie et Christine vont en noter d'autres lorsqu'un nouvel appel survient au cours du second semestre 1982. Un samedi, un inconnu contacte Jean-Marie.

« Allô, t'es le rebouteux ? T'es le rebouteux ?

— Ah non, vous vous trompez, corrige le père de famille. Vous êtes chez Jean-Marie Villemin.

— Vieux con ! »

Excédé, Jean-Marie l'insulte à son tour et lui raccroche au nez. À sa décharge, il y a bien une sorte de thaumaturge exerçant à Lépanges et qui se nomme Villemain – avec un *a* – sans aucun lien de parenté. Et puis même si l'interlocuteur a une voix plutôt rauque, ce n'est pas exactement la même que d'habitude. Ça mérite réflexion. Le jeune père a eu le temps de saisir le bruit de fond de vagues discussions, un brouhaha. Comme si « le gars » sévissait depuis un bistrot. Le père Jacquel va souvent au bistrot puisqu'il boit. Une croix de plus dans la colonne…

Au cours de cette période, la plupart des Villemin mettent en place un stratagème qui consiste à téléphoner tous azimuts pour essayer de reconnaître « le gars » durant l'échange. Ou pour le coincer en lui collant la trouille, sur le mode de l'arroseur arrosé. Jean-Marie et Christine se plient au canular en duo, Jean-Marie parlant dans le micro, Christine prenant l'écouteur. Ils ciblent ceux qu'ils soupçonnent, notamment les Jacquel. L'époux tente d'imiter la voix rauque mais il ne tient jamais longtemps. Rapidement, sa voix s'enroue et un début de fou rire le gagne, si bien qu'il est obligé de mettre fin à la communication. Leur manœuvre ne donne rien. Il n'arrive pas à imiter le timbre du « gars » et aucun suspect ne paraît balbutier comme s'il était démasqué. Aucun indice ne vient corroborer leurs théories. Leurs soupçons perdurent mais leur petite enquête, menée en famille et sans gendarmes, piétine.

18

« Tu te pendras »

Été 1982

C'est au mois de juillet qu'Albert commence à verser dans la paranoïa. L'été 1982 marque pourtant un ralentissement des appels du « gars », mais le peu qu'il donne à entendre franchit un cap dans la cruauté. Cette fois, il ne se contente plus d'agiter des rumeurs d'adultères. Il remue le plus douloureux des secrets de famille.

Le basculement survient le 16 juillet, jour tranquille dont le soleil invite à la promenade. Albert et Monique marchent autour d'Aumontzey, avec leur fils Gilbert, avant-dernier de la fratrie, et sa compagne Marie-Christine. La balade les conduit jusqu'au relais de télévision qui surplombe Granges. Sur les coups de 17 heures, Albert et Monique regagnent leurs pénates. Peut-être quelqu'un les voit-il atteindre le seuil de leur habitation, car le téléphone se met à sonner peu après leur arrivée. En décrochant, Monique reconnaît aussitôt la voix rauque. À quelques centimètres, Albert réagit au quart de tour. « Va chez Michel, va passer des appels », ordonne-t-il à son épouse en lui prenant l'appareil des mains. C'est une combine qu'ils ont élaborée ensemble : pour éliminer des noms de suspects, ils composent le numéro de certains d'entre eux afin de savoir si la ligne est occupée. Monique se précipite chez son fils. « Le gars » ne semble pas perturbé par le changement d'interlocuteur. Au contraire, il laisse libre cours à son fiel. « Tu feras comme ton père… Tu te pendras… », glisse-t-il à l'oreille d'Albert. C'est la première fois qu'il fait référence aussi explicitement au drame originel. « Tout le monde se pend chez les Villemin », ajoute-t-il.

Au même moment, dans sa cuisine, Michel voit surgir sa mère qui s'empare de son téléphone. Elle compose aussi vite que possible le numéro de Jacquel en tournant le disque du cadran. Mais la ligne n'est pas en dérangement. « Allô ? » Jacquel est bien au bout du fil.

Albert, lui, tremble. À présent, il sait. L'autre connaît son secret. Il fait donc partie de son entourage. Il est là, forcément là, dissimulé dans la banalité de son quotidien, et il veut le briser. Il veut sa mort, il la fantasme ou la prédit. De plus en plus souvent.

Au cours de cet été 1982, son fils Gilbert est embarqué à son tour dans la sinistre farandole. Jusque-là, il était plutôt épargné. D'abord parce qu'il n'a pas le téléphone dans l'appartement qu'il occupe à Granges, ensuite parce qu'il se tient plus à l'écart des débats familiaux enfiévrés. Il est pourtant invité aux déjeuners dominicaux. Mais à 20 ans, il est trop jeune pour ressentir la menace.

Un samedi matin, vers 9 h 30, sa voisine Mme Thomas frappe à sa porte. Gilbert remarque aussitôt son affolement : « Vite, il faut que vous descendiez chez vos parents ! Votre père a eu une attaque cardiaque ! Il est à l'hôpital ! » Le fils accuse le coup et demande : « Qui vous a appelée ?

— C'est votre mère », répond la voisine, qui a perçu une voix féminine.

Seul, Gilbert file à la maison d'Aumontzey. Mais sur place, il découvre ses parents en bonne santé et surpris de le voir débarquer. Lorsqu'il révèle la raison de sa venue, l'étonnement laisse place à la consternation. Choqué, Albert se met à hurler. S'il est obsédé par « le gars », la réciproque semble vraie.

Les mois s'écoulent au rythme de ces perturbations. Le père Villemin s'enfonce de plus en plus dans les sables mouvants de son angoisse. Au boulot, il s'épanche auprès de ses collègues ou de son chef, qui remarquent sa mauvaise mine. Longtemps il a gardé son secret, mais il n'y tient plus. À l'évocation de ce cauchemar si réel, ses yeux s'embrument et son visage s'assombrit. « Tu sais qui c'est ? Tu as des soupçons ? » lui demande son supérieur. Mais il préfère rester prudent : « J'ai pas assez de trucs. » On lui conseille de porter plainte mais il n'ose pas.

Les appels se multiplient à l'automne, trois ou quatre fois par semaine, à toutes les heures de la journée ou presque : le matin, entre 9 et 10 heures, à midi ou en fin d'après-midi, vers 19 heures. Quand l'inconnu se tait, il laisse tourner, en fond sonore, un disque de musique, militaire ou autre, en marquant la cadence avec son doigt sur le combiné. Quand il parle, sa voix traînante se fait insultante : « Tout fou, t'es cocu, tout fou, t'es cocu ! » Il menace Albert : « Je te ferai la peau ! » Tant et si bien que le patriarche finit par poser un genou à terre et obtient de son médecin un arrêt maladie de douze jours, courant septembre.

Mais à la maison, c'est pire. De sa fenêtre, Albert scrute les rétroviseurs accrochés aux poteaux de la corde à linge mais il ne voit rien venir. Pourtant, il le sent. Comme un œil qui l'observerait en permanence, comme une menace prête à frapper mais qui ne frappe pas. Dans le salon, il surveille le poste de téléphone, redoutant chaque sonnerie. On veut réveiller ses vieux démons, l'expédier une fois de plus à l'hôpital de Mirecourt, « chez les fous ». On veut le pousser à se pendre.

Monique assiste à ses crises, impuissante. Il « court partout », décrira-t-elle, « se roule par terre », en perd le sommeil et l'appétit. Elle vacille aussi et sent peser sur elle comme un début de dépression.

Ce même mois de septembre, « le gars » décoche une nouvelle flèche. En pleine semaine, peu après 13 h 30, il harcèle Monique de son rire caverneux : « Ha, ha, ha ! Ton vieux peut se laver à l'eau de Cologne... Ça ne l'empêche pas de sentir le vieux ! » L'attaque vise encore Albert : parce qu'il est allergique au savon, il utilise de l'eau de Cologne pour sa toilette. Une fois de plus, le fâcheux dispose d'informations intimes. Peu sont au courant de cette particularité qui, pour anodine qu'elle soit, n'en est pas moins privée. Ses fils et sa fille le savent depuis toujours et l'entendent parfois s'en amuser, tout fier de dire qu'il « sent bon » grâce à cette lotion.

Plus tard, Monique se souviendra que le détail était aussi connu de quelques femmes : Christine, Ginette, l'épouse de Michel, et Marie-Ange Laroche, la compagne de son neveu Bernard. Le trio s'était retrouvé lors d'une réunion du genre « Tupperware » pour commander des parfums. Monique avait fait ajouter de l'eau de Cologne à la liste des achats. Elle peinerait cependant à situer l'épisode dans le temps : était-ce avant ou après ?

Curieusement, elle décide de passer cette raillerie puérile sous silence alors qu'elle a l'habitude de faire état de toutes les conversations et de toutes les insultes reçues à ses enfants. Comme si l'appel s'était perdu au milieu du torrent de boue habituel. Ou, si l'on tente une autre interprétation, comme si elle avait entrevu un autre suspect... un peu trop proche.

Au mois de novembre, tandis que l'hiver arrive, l'indésirable récidive. Il prononce peu de mots, à peine plus d'une phrase qui résonne comme un avertissement, un mauvais augure. « Les journées raccourcissent, les chats gris vont sortir... » Le proverbe a beau être déformé, il n'en perd pas son sens. La nuit, tous les chats sont gris. Dans l'obscurité, on se fond dans le décor. Ou pour le dire autrement : un visage familier pourrait bien être un visage suspect.

19

Une voix de femme

1er décembre 1982

Le gendarme Féru n'est pas du coin mais il commence à bien connaître les gens d'ici. Il y a quelques années qu'il a posé ses valises dans les Vosges après avoir grandi dans le Nord puis vécu dans la Marne. « Les Vosgiens sont des têtus, des têtes de lard », dit-il, un brin amusé, et parfois consterné. Sa circonscription, celle de Corcieux, est plutôt calme. Des vols ou des querelles de voisinage occupent ses permanences. Mais bien souvent, les habitants préfèrent régler les problèmes entre eux et éviter la maréchaussée. En témoigne le nombre de foyers équipés d'une carabine.

Ce mercredi, en franchissant la porte des Villemin, à Aumontzey, il remporte donc une petite victoire : enfin, Albert et Monique portent plainte. Au départ, c'est par le bouche à oreille que le brigadier a découvert l'affaire. Une histoire de « voix rauque » (certains villageois commettent un lapsus et parlent de « voix rogue », ce qui n'est pas totalement à côté de la plaque

131

puisque cela signifie hautain et désagréable). Un cinglé qui « emmerderait » toute la famille au téléphone. Mais des mois ont passé avant que le vase déborde et qu'on sollicite l'aide des autorités pour endiguer l'inondation.

Ce jour-là, à 17 heures, Pierre Féru vient consigner plus qu'une plainte, un cri de détresse. En l'accueillant dans leur cuisine, les traits tirés, le ton las, Monique et son mari veulent mettre fin au supplice. « Mon état de santé empire à cause de ces appels, prévient Albert. Je pourrai pas tenir longtemps à ce rythme… »

Face au brigadier, attablé autour d'un café, le père de famille relate les premiers ennuis. « En septembre 1981, j'ai commencé à recevoir des coups de téléphone anonymes. Au début, le correspondant raccrochait aussitôt. Puis il sifflait et mettait de la musique. Ça a duré jusqu'en juin. Ça pouvait se répéter dix-sept fois par jour. "Le gars" parlait rarement. »

Il poursuit : « Début juillet 1982, il a commencé à menacer, il a dit qu'il allait me "faire la peau". En septembre, j'ai fait une dépression nerveuse, j'ai été en arrêt de travail. À partir de là, y a eu une trêve jusqu'à hier. »

La veille, le 30 novembre, Monique a reçu de nouveaux appels qu'elle a enregistrés. Devant les gendarmes, elle presse le bouton « play » du magnétophone et les laisse découvrir ce dialogue de sourds.

On l'entend pester : « Alors, casseur de carreau, tu t'annonces ? » La bande sonore reste muette.

« Qu'est-ce que t'as à nous en vouloir donc ? Quel mal on t'a fait ? »

Désarçonnée par le silence, rompu de temps à autre par un souffle lourd ou des sifflotements, la quinquagénaire tente : « C'est toi, Liliane ? » Mais toujours pas de réponse. Alors, elle perd ses nerfs et expédie son lot d'insultes : « Masse-toi, andouille ! », « Connard ! », « Saloperie ! », « Pauvre con ! », « Maquereau ! »

La scène se répète encore et encore, sans fin. Il appelle, il se tait, il raccroche. Et ainsi de suite. Nouvelle communication, elle ruse : « Albert n'est pas là, tu peux descendre, hein ! T'as pas de couilles ! Eh, pauv' con ! » Mais au moment de l'enregistrement, Albert est bien là, juste à côté, effaré.

« Pute ! souffle soudain "le gars".

— J'ai pas été la tienne !

— Hum, hum…

— Sûrement pas ! »

Un autre appel :

« Tu vas avoir une surprise, lâche-t-il.

— Une surprise ? répète Monique, méfiante.

— Tout à l'heure. »

Si le magnétophone était une caméra, on pourrait visionner la suite. Derrière elle, on sonne à la maison. « Le gars » coupe court à la conversation, elle va ouvrir. Sur le seuil apparaît un surprenant visiteur. C'est un homme d'une cinquantaine d'années, en costume sombre, une sacoche à la main. Une jeune femme l'accompagne. « Je suis M. Lapoirie, pompes funèbres de Gérardmer, se présente l'inconnu.

— Ah bon ?

— On m'a prévenu du décès de M. Albert Villemin. Je viens pour prendre les mesures. »

Monique en reste les bras ballants… avant de faire le rapprochement : la voilà, la « surprise ». Elle soupire : « Ah… Vous aussi… » Le croque-mort et sa fille, eux, peinent à comprendre la situation. « Entrez… Je vais vous faire un café. » Monique les conduit jusqu'à la cuisine où Albert est en train de boire son jus. Lapoirie l'aperçoit, hébété. Le mort est bien vivant et un ange passe. Il s'assoit. En bout de table, le petit Lionel tient un crayon de papier au-dessus d'une feuille noircie de vingt-six barres. Ce sont les vingt-six appels anonymes qu'il vient de recenser en cette fin d'après-midi. Lapoirie pose sa sacoche, dont il garde secret le contenu pour ne pas en rajouter : elle renferme un catalogue de cercueils. Puis il raconte sa version.

Entre 19 et 20 heures, à son domicile de Granges-sur-Vologne, la sonnerie du téléphone l'a sorti de son canapé, en plein journal régional sur FR3. Lorsqu'il a décroché, une voix féminine lui a demandé de se rendre chez les Villemin, à Aumontzey, où le chef de famille se serait pendu. L'interlocutrice avait l'air jeune, avec un accent du coin. Il a pensé qu'il s'agissait de la fille Villemin, Jacqueline. En fond sonore, il a perçu comme des gazouillis d'enfant.

Tandis qu'il fait son récit, le téléphone se met à carillonner de nouveau. Monique prend l'appareil mais lui suggère de saisir l'écouteur. Pour elle, c'est encore cette maudite voix rauque, ce sale bonhomme. Détail troublant, Lapoirie est, en revanche, persuadé d'avoir affaire à la même jeune femme… Il – ou elle – se réjouit de sa farce morbide : « Tu l'as eue, ta surprise ! »

Voix masculine ou féminine : ce ne serait donc qu'une histoire de perception. Autour de leurs mazagrans, les quatre dupés se muent en enquêteurs. Monique ne cache pas les soupçons qu'elle porte sur sa belle-fille. « Et si on appelait Liliane pour savoir

134

si c'est la même voix ? » Lapoirie se prête au jeu. Il connaît déjà l'épouse de Jacky, correspondante de presse au journal *La Liberté*. Il est régulièrement en contact avec elle pour faire paraître des avis de décès. Aussi, le prétexte est tout trouvé. Monique compose le numéro de son domicile et le visiteur parle. Au bout du fil, Liliane ne se doute de rien et prend note du faux avis mortuaire. Lapoirie écoute attentivement sa réponse, raccroche, et conclut, sans l'ombre d'un doute : « C'est pas elle. »

Ce jour-là, il n'est pas le seul destinataire d'une fausse information. Christine a reçu un appel similaire. « Votre beau-père s'est pendu », a prononcé une voix féminine. Jacqueline et son époux ont également été ciblés : leur voisine leur a transmis la même nouvelle, de la part d'une femme. L'appelante s'est fait passer pour Monique et a dit : « Prévenez Jacqueline Villemin. Il y a un malheur chez nous, son papa s'est pendu… »

À présent, à la place occupée la veille par Lapoirie et sa fille, l'adjudant Féru tape son procès-verbal sur sa machine à écrire. Il est un peu perplexe : comment qualifier l'objet de la plainte ? « Violences téléphoniques » ? Monique lui montre les feuilles d'agenda qui reposent sur le meuble du salon, et sur lesquelles elle a relevé le nombre de dérangements, jour après jour. « Prenez un vrai cahier et notez tout, conseille-t-il. Pas seulement les appels que vous recevez, vous, mais aussi ceux que reçoivent vos proches. » Monique promet de s'y plier. Avant de prendre congé, l'officier laisse son numéro et ajoute : « Chaque fois que vous recevez un coup de téléphone, vous m'appelez. »

L'enquête débute. Féru va s'en apercevoir : la plupart des membres de la famille dirigent leurs soupçons vers Jacky et Liliane, même si certains préfèrent ne rien dire, comme Gilbert.

Auditionné à son tour, Jean-Marie suggère un lien entre toutes les manifestations téléphoniques, depuis l'été 1981, au cours duquel une femme lui avait chantonné « Chef, un p'tit verre, on a soif » avant de partir dans un rire hystérique. Il exhume aussi un autre canular, en septembre 1982, réceptionné par son épouse Christine : « Une voix de femme lui disait que ma mère venait d'avoir un accident de voiture et qu'elle était dans le coma. Mon épouse s'est renseignée tout de suite : c'était faux. Pas longtemps après, un homme a rappelé Christine pour lui dire qu'il avait réussi à la faire marcher… »

Une femme, un homme. À présent, tous les Villemin s'accordent sur un point : la voix rauque n'est pas seule. Il y a une fille dans le coup. Ce n'est pas qu'un « gars » isolé, cultivant son vice dans son coin : la machination se fomente en couple. Mais Lapoirie, lui, témoin d'un jour, ne varie pas : il n'y a pas de voix rauque, il n'y a qu'une voix de femme.

20

Nouvelle intrusion

13 décembre 1982

À cet instant, si Grégory était éveillé, il demanderait à sa mère de sa petite voix : « C'est encore le pothomme ? » C'est le nom qu'il a trouvé au méchant qui embête ses parents. À 2 ans, il a déjà compris que quelque chose cloche, à force d'entendre les adultes en parler. Son père et sa mère essaient de l'épargner mais ils peinent à dissimuler leur obsession. Il a déjà dû saisir des fragments de conversation ou ressentir l'angoisse contagieuse.

Mais lorsque le téléphone sonne, ce lundi soir, vers 20 heures, l'enfant se trouve dans son lit. La nuit est tombée sur Lépanges. Quelques décorations de Noël éclairent les façades ici et là. Christine est seule devant la télévision, Jean-Marie termine son service à Autocoussin. Il sera bientôt de retour. Mais bientôt, c'est déjà trop tard.

La mère abandonne son programme pour décrocher le combiné. « Pute ! » Un an après l'épisode du carreau cassé, la même scène semble se reproduire.

Elle en mettrait sa main au feu, c'est la même voix. Et les mêmes insultes.

« Salope ! »

Christine aimerait tant que son mari soit déjà rentré. « Le gars » doit connaître ses horaires de travail et ne frappe pas au hasard. La voix ne se contente pas de l'injurier. Elle gronde avant de raccrocher : « T'as beau avoir des volets en bois, je les casserai avec une hache ! J'entrerai chez toi et je te ferai la peau. » La jeune femme chancelle. Comme dans l'histoire du grand méchant loup et des trois petits cochons, le beau chalet de Lépanges se révèle à présent aussi fragile qu'une maison de paille. Toutes les protections installées par Jean-Marie pourraient voler en éclats dans cette oppressante solitude. Christine se précipite dans sa chambre, ouvre le placard et saisit la carabine. Elle revient vers la porte qui mène au garage… puis renonce. Sa mère a déjà bloqué la culasse, l'été dernier, en voulant se servir de l'arme. Elle la repose sur la table de la cuisine et se résout à composer le numéro de ses beaux-parents. Cette fois, elle n'ose pas déranger M. Méline, le voisin. Elle sent bien qu'il s'agit d'une histoire de famille. « Ne bouge pas, on vient te chercher », lui répondent-ils.

À Aumontzey, Albert et Monique grimpent, toutes affaires cessantes, dans leur voiture, et embarquent leur plus jeune fils, Lionel. Mais l'attente est interminable pour Christine. De leur domicile au sien, il y a quinze minutes de route.

Et le téléphone sonne à nouveau. « Allô ? C'est Michel. Ça va ? » Le fils Villemin vient de croiser ses parents sur le départ et il a tenu à la joindre pour la rassurer, lui tenir compagnie, au cas où « le gars » se pointerait vraiment. Si ça se trouve, ce n'est qu'une menace en l'air, mais comment en être sûr ?

Christine écoute d'une oreille distraite la conversation de Michel, tandis que son fils dort toujours à poings fermés dans la chambre. Brusquement, des bruits attirent son attention. Il lui semble avoir entendu des pas sur le gravier, devant la maison.

« Y a quelqu'un dehors…, souffle-t-elle, tremblante.

— C'est peut-être mes parents, hasarde Michel.

— Ça m'étonnerait. Ils klaxonnent en arrivant… Ça peut pas être eux. »

Un autre bruit, sec, lui parvient. Elle tend l'oreille. Plus rien. Jusqu'à ce qu'un Klaxon retentisse enfin. Christine abandonne le combiné et court à la porte. Albert et Monique se garent et viennent à sa rencontre. À première vue, il n'y a personne d'autre alentour. Un léger sifflement se fait cependant entendre dans l'obscurité hivernale. Le pneu avant gauche de la Renault 20 de Jean-Marie, stationnée devant le garage, est en train de se dégonfler. « Oh, le salaud ! » s'exclame Monique.

Albert regagne sa voiture à la hâte, prend une lampe torche et se met à la recherche de la percée.

« J'ai sorti la carabine », signale Christine à son beau-père qui s'en empare aussitôt. D'un pas décidé, cerné par les bruits nocturnes de la forêt voisine, il fait le tour du chalet, cheminant dans le noir, le doigt sur la gâchette. Mais il n'y a pas âme qui vive.

Silencieux, à l'écart, le petit Lionel frissonne dans ce décor lugubre. Ses yeux se fixent tout à coup sur le large lampadaire au bord de la chaussée qui éclaire la façade de la bâtisse, seule lumière dans la nuit.

Au-delà, l'espace semble plongé dans une profonde obscurité. « Et si "le gars" se planquait juste derrière ? » imagine-t-il à voix haute. Juste derrière ce rideau noir. Le père Villemin jette un œil vers les ténèbres. Il pourrait aller jusqu'aux prés qui s'étendent à quelques mètres. Mais trop craintif, il ne pousse pas plus loin sa ronde. « Je vais préparer du café », propose alors Christine pour s'excuser du dérangement occasionné.

Dans la cuisine, les visages sont blêmes et les oreilles alertes. Des fois qu'« il » serait dans le coin. « Ah, le salaud ! » répète Monique, encore tournebou-lée. Par la fenêtre, les étoiles ressemblent aux canines d'un monstre prêt à les dévorer. Pas question de rester plus longtemps ici. Une fois les tasses vidées, Chris-tine réveille aussi doucement que possible Grégory et part chez ses beaux-parents.

À 21 heures, Jean-Marie quitte précipitamment la manufacture pour les rejoindre. Quand Monique l'a prévenu de cette nouvelle intrusion, elle a pu entendre sa fureur. Une fois de plus, son cocon familial est menacé. Sa propriété n'est plus un havre de paix. Le petit coin de paradis prend un coup de froid.

Cherchant le sommeil ce soir-là, Jean-Marie songe à un plan pour piéger enfin son insaisissable persécu-teur. Il le met en œuvre trois jours plus tard.

Lorsqu'il travaille de 13 à 21 heures, il est rejoint par Martial, l'un de ses collègues, qui fait le chemin avec lui jusqu'à l'usine. Le rituel se répète : Martial se gare devant le chalet de Lépanges, klaxonne, fait mon-ter Jean-Marie dans sa voiture, puis redémarre.

Mais en cette fin décembre, le siège passager reste vide. De loin, on n'y voit que du feu. Le collègue, complice du stratagème, joue le jeu, fait semblant de passer le prendre et refait ses gestes quotidiens. En vérité, lorsqu'il repart, il est seul à bord. Jean-Marie ne quitte pas sa maison. Grâce au médecin, il a obtenu un arrêt de travail de dix jours. Une parenthèse temporelle pour surveiller les abords de son foyer, carabine à la main. À traquer le moindre mouvement dans la brume du voisinage. À guetter la première sonnerie dans le salon. À espérer un signe, un indice, un frémissement pour démasquer le vandale. Personne dans sa famille n'est au courant de son congé. Parce que « le gars » et sa femme peuvent être à peu près n'importe qui. Et même ceux qui n'ont rien à se reprocher pourraient être trop bavards et vendre la mèche.

Or les soirées s'enchaînent et rien ne se passe. Le téléphone reste muet, la rue endormie. Une fois seulement, un correspondant le contacte en fin d'après-midi, vers 19 heures. Il bondit sur le combiné, mais au bout du fil, c'est son cousin Bernard Laroche qui veut lui parler... de son crépi. Il poserait bien le même chez lui, raconte-t-il. Jean-Marie trouve l'appel un peu incongru, d'autant que Bernard n'est pas censé être au courant de son arrêt maladie, mais il ravale sa surprise et reprend sa surveillance.

N'importe qui, ce pourrait être n'importe qui. La suite des événements accroît sa paranoïa. Un soir de décembre 1982, une partie des Villemin se retrouvent chez Jacqueline, à Saulcy-sur-Meurthe. Un dîner et deux ou trois verres plus tard, vers 2 heures du matin, le cortège reprend la route d'Aumontzey. Jean-Marie et Christine ouvrent le bal avec Monique à bord de leur Renault 20. Gilbert suit en compagnie d'Albert. Alors qu'il dépasse Granges, Jean-Marie s'aperçoit qu'il a semé son frère. Dans son rétroviseur, plus aucun phare n'éclaire les rues nocturnes, comme s'ils s'étaient évaporés. Le jeune homme fait demi-tour, à la recherche de ses proches. Arrivé au cœur du bourg, il découvre l'épouse de Gilbert, sur un trottoir, agitée, lui faisant de grands signes des bras : « Arrête-toi, arrête-toi ! » Un petit attroupement s'est formé autour de deux véhicules, en face de l'église. Gilbert et Albert sont là, en mauvaise posture. Ça sent la bagarre. Jean-Marie se porte à leur secours. Ils sont aux prises avec un gars plutôt costaud, moustachu, entre 35 et 40 ans, qu'ils connaissent bien puisqu'il s'agit de Marcel Jacob. C'est l'un des frères de Monique, et pas le plus commode. On dit qu'il n'a peur de rien. Dans les années 1960, Albert avait eu affaire à lui à plusieurs reprises. Les soirs où Monique se cachait chez ses parents pour fuir ses sautes d'humeur, Marcel Jacob jouait les vigiles. Tous deux ont failli en venir aux mains, à différentes occasions, bien que le beau-frère ait toujours pris l'ascendant grâce à sa carrure.

Gilbert et son oncle se tiennent par le col. Jean-Marie saisit son frère et l'exfiltre puis joue l'apaisement en tendant la main au frère de Monique : « Salut, Marcel ! » L'homme lui tend la main à son tour... puis la retire : « Je serre pas la main aux chefs ! » En un éclair, Gilbert revient à la charge, se jette sur la voiture de Marcel et donne un grand coup de pied dedans. Son geste déclenche un mouvement d'agitation générale et les lunettes de Monique se cassent dans la bataille. Voyant sa mère secouée, Jean-Marie enrage et agrippe son oncle. Les noms d'oiseaux volent : « T'es qu'un rampant, une vermine ! T'as même pas de poils sur la poitrine ! » beugle Marcel, visiblement imbibé. L'homme pointe à la filature et compte parmi les syndicalistes les plus actifs de la CGT. Il aimerait être contremaître lui-même, mais ce n'est pas le cas. Une raison de plus pour étaler son aversion contre les surveillants. Jean-Marie ne se laisse pas faire et tente de comprendre la raison du tumulte. Tout serait parti d'un dépassement scabreux imputé à Gilbert, quelques minutes plus tôt. Une possible queue-de-poisson, suivie d'appels de phares insistants. À hauteur du village, chacun a coupé son moteur pour régler le différend. En découvrant qu'il avait doublé son oncle, Gilbert ne s'est pas adouci pour autant. Marcel l'a traité de « petit con ». Les liens du sang, si fragiles, ont rompu instantanément sous le poids de la colère.

La femme de Marcel Jacob, connue pour sa forte personnalité, n'est pas seulement spectatrice du chahut. Consciente que son mari n'a pas le dessus, elle se mêle à la dispute, de sa voix criarde : « T'es comme ton père, Jean-Marie, t'es qu'une saleté de Villemin ! » Elle pousse sans ménagement Christine qui a le malheur de se trouver sur son chemin – « Tire ton cul, salope ! » –, avant de farfouiller dans sa Renault 9 et de revenir, un nerf de bœuf à la main. À chaque seconde, la situation menace de dégénérer. « T'as beau faire du karaté, je t'éclaterai les couilles », balance Marcel à son neveu. Jean-Marie lui tient tête. Et soudain, en le voyant éructer, une idée lui traverse l'esprit. Ces mots, cette rancœur. Il voit aussi cette petite cicatrice visible sur son cou depuis qu'il a été opéré de la gorge et qu'il en a gardé une voix… rauque. Jean-Marie le colle au mur : « Eh dis donc… C'est pas toi qui nous passes des coups de téléphone ? » Marcel Jacob paraît surpris : « Mais t'es malade ? » répond-il.

Albert voit venir le dérapage de trop. « Allez, c'est bon, Jean-Marie », le retient-il. L'affrontement se transforme en duel de regards. Dominé par la force et le nombre, Marcel Jacob finit par reprendre le volant et s'en aller...

... pour ressurgir un instant plus tard devant la maison d'Aumontzey. L'oncle agressif ne veut pas en rester là, et sa femme le chauffe à blanc pour laver l'affront. Question d'orgueil. Il hurle à Jean-Marie : « Sors de là si t'es un homme ! Allez, sors ! » À l'intérieur, son neveu bout. Ses parents le freinent. Jean-Marie ressasse la pluie d'insultes tombée sur lui, pense au « gars », à tous ceux qui le haïssent depuis qu'il est chef et, d'un geste de rage, il donne un grand coup de poing contre la porte de la cave de ses parents. Peut-être songe-t-il alors aux mots de sa mère, enregistrés par le magnétophone trois semaines avant. « Quel mal on t'a fait ? »

Quel mal a-t-il fait ?

21

La liste des suspects

Janvier 1983

Au café, on le surnomme « commissaire Maigret ».
Albert est un limier qui aurait troqué la pipe pour les
gitanes mais qui patauge dans un marigot comparable.
Il mène son enquête et, un verre à la main, questionne
à tout-va, sur le zinc du comptoir. Il se renseigne sur
untel, sur un autre. « Et lui, t'en penses quoi ? » Il
voudrait débusquer le type louche derrière la façade
proprette, la rancœur camouflée derrière le visage
aimable. Mais ce qu'on lui sert, ce sont surtout des
ragots, des cancans, des échos de coucheries, réelles
ou imaginées. Pas de quoi établir un profil de maître-
chanteur. Le problème, c'est que si l'on cherche des
failles et des aspérités au quidam, on finit toujours par
trouver.

S'il voulait organiser un tapissage à sa sauce,
faire défiler des suspects derrière une vitre sans tain,
ils seraient trois ou quatre sur la liste. Dites voir, ce
« gars »… ce serait pas Marcel Jacob ? Le beau-
frère agressif et sa femme si vulgaire ? Albert sait

145

que la famille de Monique ne l'aime pas. Quand il l'a épousée, les autres connaissaient déjà son histoire, ses origines, la pendaison de son père, et ça jasait. Ils n'ont jamais voulu de lui. Un jour, Marcel a fait mine de lui cracher dessus sous prétexte qu'il ne lui avait pas dit bonjour en le croisant. Albert le considère comme un « profiteur », un type qui passe prendre l'apéro d'une maison à l'autre pour « se faire rincer la gueule ». Par le passé, il l'a déjà accueilli, ils ont regardé la télévision ensemble, mais Albert s'est comporté comme chaque fois qu'il est obligé d'ouvrir sa porte à quelqu'un qu'il n'aime pas : il a « fait la gueule », assis sur le canapé, sans décrocher un mot. Les tensions étaient encore plus fortes lorsque le vieux Léon Jacob était de ce monde. Mais il repose au cimetière depuis plus de dix ans et le temps a passé, pense-t-il, sur ces vieilles querelles. Et puis, les braillements criards de la femme de Marcel ne correspondent pas à la voix de jeune femme que tous les auditeurs ont entendue. Et pourtant, leur haine n'a pas fait l'ombre d'un doute, lors de leur altercation devant l'église de Granges. Le couple de cégétistes tendance dure n'aime pas Jean-Marie. Pendant les grèves à la filature, la femme Jacob insulte « les jaunes », ceux qui ne sont pas solidaires ou qui ont peur et qui vont tout de même travailler. Qui plus est, ils habitent Aumontzey, avec vue sur la maison des Villemin. Ça mérite d'être approfondi.

Albert poursuit ses investigations, de l'apéro au souper. Son gendre Nonoche, l'époux de Jacqueline, lui a suggéré une autre piste : les Verdu, un couple qui tient un bistrot à Granges. A priori, il n'y a aucune raison pour que ces deux-là s'amusent à lui pourrir la vie, du jour au lendemain. Mais une fois de plus, quand on cherche, on trouve… « Verdu, il est noir », lui glisse l'un de ses beaux-frères au bistrot. Comprenez un sournois, un taiseux. « Tu sais comment on l'appelle ? Le taureau du village ! » ajoute-t-il, eu égard à ses nombreuses conquêtes féminines. En tout cas à celles qu'on lui attribue.

Au-delà des rumeurs, un tas de petits détails ont intrigué Albert. D'abord, le couple de commerçants a pu être au courant de la pose des rétroviseurs puisque Monique, cette pipelette, en avait discuté avec la belle-sœur de Verdu. Ensuite, ils les ont croisés récemment, et la femme a gardé le silence en saluant les Villemin, alors qu'on la dit volubile et avenante. À croire qu'elle ne voulait pas faire entendre le son de sa voix… Albert se souvient aussi d'un appel antérieur. Derrière la voix, on devinait un brouhaha général et vaguement le bruit d'un flipper. Le café des Verdu abrite-t-il ce genre de machine ?

Le « commissaire » Villemin a téléphoné à la bistrotière, pour l'enregistrer. Au bout du fil, elle a juste eu le temps de dire : « Allô ? Allô ? » En prêtant l'oreille, Christine a trouvé que ça ressemblait à la voix de « la femme ». Voix qu'elle avait bien en mémoire : à la mi-janvier, vers 5 heures du matin, elle avait encore une fois été réveillée par un appel. Une jeune femme lui annonçait que Jean-Marie avait eu un accident de voiture en allant au travail avec son copain Martial. C'était la troisième fois qu'elle entendait cette fille. Elle s'était doutée qu'il s'agissait d'un mensonge sordide. Après cet incident, Jean-Marie avait décidé d'utiliser à son tour un magnétophone.

Enfin, un autre élément accable les Verdu. Un soir du mois de novembre précédent, Nonoche avait aperçu une Renault 12 break rouler au ralenti devant chez lui avant d'être visé quelques minutes après par un coup de téléphone malveillant. Quand il était revenu à sa fenêtre, la voiture était déjà partie. Or les Verdu roulent à bord d'un modèle identique. On a beau vouloir garder la tête froide, ça fait beaucoup.

D'ailleurs, ça n'a probablement rien à voir avec les Verdu mais, récemment, Albert a aussi remarqué une étrange voiture. C'était en automne. Il devait être aux alentours de 21 heures, il faisait nuit. Le père de famille se trouvait dans sa cuisine lorsqu'il a discerné des lueurs par la fenêtre. Comme des appels de phares insistants. Il est sorti pour mieux voir : la voiture s'est mise en route en direction de l'église du village. Dans l'obscurité, il n'a pas pu déterminer la couleur de la carrosserie mais il lui a semblé que c'était une Renault 12. Il s'y connaît.

Ça n'aurait été qu'un détail s'il n'y avait eu une deuxième apparition. Au mois de décembre suivant, tandis que toute la famille était rassemblée pour un dîner, Liliane s'est approchée de la fenêtre de la cuisine pour fumer une cigarette. Dehors, un Klaxon a retenti deux fois. « Vous avez entendu ? » a-t-elle demandé à Albert. Bien sûr qu'il avait entendu. Il s'est précipité dans la cour mais, à nouveau, une voiture l'a dépassé et a filé vers l'église. Il ne parierait pas dix briques mais c'était peut-être bien encore une Renault 12.

Albert n'a pas fini de se creuser les méninges. Le 27 janvier, une autre épreuve l'attend. Peu après 14 heures, on frappe à la porte : c'est le marchand de fuel. « Je viens pour la livraison de charbon », annonce-t-il. Albert et Monique n'ont rien commandé. La mère de famille flaire le mauvais coup :

« Vous aussi, vous avez été appelé pour rien ! » Le commerçant tourne les talons et croise alors l'ambulancier qui vient garer son véhicule devant la cour. « On m'a demandé de transporter M. Villemin à l'hôpital. » Ça n'arrête pas. Albert hurle, Monique fond en larmes. Jacky et Liliane, de passage, essaient de les calmer. Faute d'y parvenir, ils préviennent le médecin de famille. Entre ceux qui sont réellement réclamés et ceux qui ne le sont pas, c'est un vrai défilé à la maison. À 17 h 30, un nouvel appel : « Bonjour, ce sont les pompes funèbres de Gérardmer. À quelle heure peut-on venir chercher le corps de M. Villemin ? »

La veille, ils ont reçu dix-sept coups de téléphone. Et un mois plus tard, en février, l'imbroglio se répétera et s'étendra à d'autres foyers. L'infirmier accourt pour un malaise qui n'a jamais eu lieu. Le garagiste déboule pour réparer une panne de voiture qui n'existe pas. « Chut, ne parlez pas si fort, lui murmure Monique lorsqu'il justifie son irruption. On pourrait vous entendre… » Le docteur se rend chez Ginette dont la fille est effectivement souffrante, alors qu'elle n'a même pas eu le temps de l'appeler. Le lendemain, au domicile de Christine, même chose. Et tous, du marchand de fuel au dépanneur, décrivent une même voix, jeune et féminine. Et si bien renseignée…

La plainte déposée à la gendarmerie n'a pas été prise à la légère : on a confié les investigations à un juge d'instruction. Mais pour le moment ça n'a servi à rien. Entre deux crises, Albert analyse et réanalyse les bandes sonores, appelle des suspects pour les piéger, compare, confronte, rapproche : qui est ce « gars » ? Qui est sa garce ?

Depuis que les Villemin ont branché leur magnéto-phone, ils ne distinguent que la voix rauque. La voix féminine, elle, se contente d'appeler à l'extérieur le plus souvent. Comme si elle ne voulait pas être enre-gistrée, comme si elle montrait davantage de prudence que « l'homme ». Au contraire, lui semble faire preuve d'une confiance inébranlable. Sur les conseils des gendarmes, Monique cherche pourtant à le faire sor-tir de ses gonds en l'insultant, en s'en prenant à « sa femme ». En vain. Les mêmes expressions reviennent dans la bouche du détraqué tranquille : « Ce qu'y a d'sûr », « ça va de soi », « peut-être que oui, peut-être que non ». Il ne prononce presque jamais de prénoms mais des surnoms : « le chef » pour Jean-Marie, « la femme du chef » pour Christine, « le vieux » pour Albert, « le tout fou » pour Michel. Pour désigner Monique, il souffle : « la Môôônique ».

« Le gars » parle constamment d'un ton déclama-toire, plus bas qu'une conversation naturelle, plus haut qu'un chuchotement. Quand il menace de mort – « j'vais t'faire la peau » –, les décibels s'élèvent. Ceux qui l'entendent rivalisent de descriptions glaçantes. En écoutant les cassettes chez Albert et Monique, l'infir-mier évoquera « une voix lente, lugubre, plutôt sourde, qui appuyait sur les termes méchants. On y décelait l'intention de faire mal », ajoutant qu'il a éprouvé un sentiment de « malaise ».

Destinataire d'un autre canular, la belle-mère de Gilbert Villemin précisera : la voix faisait si peur que sa fille en a « laissé tomber l'écouteur ».

« Le gars » est d'autant plus inquiétant qu'il semble savoir beaucoup de choses au sujet d'Albert : la pen-daison de son père, les rétroviseurs qu'il a fait poser aux poteaux de la corde à linge, son eau de Cologne… Et peut-être plus encore. Y compris des choses qu'il ignore lui-même. Il n'a pas oublié un appel en particulier, au cours duquel l'inconnu avait lâché à Monique : « Tu disais pas ça quand je venais te sauter… Quand ton vieux était à l'hôpital. » Dix ans plus tôt, Albert avait été hospitalisé pour un énième gros coup de pompe. Or, à cette époque, un homme aurait rendu visite à Monique, croit-on se souvenir dans la famille. Un certain Hollard, un marginal qui habite dans le secteur avec sa femme. Il a la réputation d'être un briseur de ménages et on raconte que son épouse reçoit des hommes chez elle en échange d'un peu d'argent. Ces deux Hollard font de beaux suspects. Ça colle… mais peut-être un peu trop. Comme si on voulait leur faire porter le chapeau.

Ou comme si on voulait semer le doute sur Monique, laisser croire à l'existence de vieux secrets qu'elle aurait dissimulés au fond de ses tiroirs fermés à double tour…

De son côté, Monique aussi cherche la clé de l'énigme. Elle est même allée consulter une voyante, à Chavelot, un village situé à trois quarts d'heure d'Aumontzey. Depuis des lustres, longtemps avant que les usines ne remplacent les fermes, on fait bien confiance aux rebouteux, aux leveurs de feu… Alors, avec un peu de chance, pourquoi pas aux diseuses de bonne aventure ? Dans son cabinet, la médium a prêté attention aux tourments de la mère Villemin puis disposé ses cartes sur la table qui les séparait. Elle a vu un visage émerger au milieu de ses visions : une femme qui portait des lunettes. Une lettre de l'alphabet l'accompagnait, pareille à un indice supplémentaire : le G.

« G comme Ginette ? » s'est interrogée Monique en rapportant sa séance à Jean-Marie. L'épouse de Michel ne porte pas de lunettes, sauf pour lire. Puisque tout le monde est suspect, pourquoi pas elle ? De la demeure voisine, quinze mètres plus loin, elle peut épier, bavarder, recueillir des confidences.

Pourtant, c'est encore et toujours à une autre qu'ils pensent tous : Liliane. Les témoins de l'extérieur ne reconnaissent pas sa voix (pas plus que celle de Ginette) mais on la croit capable d'une telle torture psychologique. Devant elle, on ne laisse rien paraître, on feint l'ignorance. Mais Albert n'en démord pas. Michel non plus. Jean-Marie s'y convertit : cette femme n'est pas claire. D'accord, mais avec quel bonhomme ?

Roger Jacquel ; Marcel Jacob, le beau-frère ; Verdu, le cafetier ; Hollard, le marginal… Telle est la liste des types louches. Il faut un autre forfait pour que les certitudes se lézardent et que la zizanie s'installe dans la famille. Le soir du 28 janvier 1983, Monique et Albert passent un moment chez Michel et Ginette. Arrivent alors Gilbert et son épouse. La raison de cette visite impromptue sort bientôt de la bouche du jeune homme. « Écoutez voir, embraie Gilbert. Arrêtez avec les Jacky ! Ça peut pas être eux, j'en ai la preuve ! » L'assistance réagit froidement à ses paroles.

« Comment ça, t'en as la preuve ?

— On était chez eux cet après-midi et "le gars" a appelé ! Ça peut pas être eux !

— Mais qu'est-ce que tu racontes ?

— On est allés chez eux, pour faire coudre des rideaux. »

Si Liliane gagne un peu d'argent en tant que correspondante pour le journal local *La Liberté de l'Est*, c'est son travail de couturière à domicile qui lui apporte l'essentiel de sa paie.

« Jacky m'a passé l'appareil et c'était "le gars". Il a ricané. »

Son récit tombe à plat. Gilbert s'est toujours montré assez neutre dans les conflits, il n'a jamais fait partie des accusateurs les plus zélés. Ses proches tentent de le contredire. Et si c'était un coup monté ? Et si le père Jacquel avait composé le numéro de sa fille Liliane pour la disculper aux yeux des témoins présents ? Sauf que Gilbert et Marie-Christine avaient débarqué sans prévenir pour solliciter ses services. Il ne pouvait pas savoir qu'ils étaient là. Alors, peut-être Jacquel avait-il vu leur voiture garée devant leur immeuble ? Et sauté sur l'occasion ? C'est de plus en plus tiré par les cheveux mais Gilbert se sent seul contre tous. « Arrêtez de vous borner ! » lance-t-il. Le ton monte. Ginette s'emporte. Elle aussi est persuadée de la culpabilité de Liliane. Albert explose. En écoutant son fils, il se sent visé : il a l'impression qu'il lui reproche ses soupçons et son entêtement. « J'en ai marre de tout ça ! Je vais vraiment me pendre ! » fulmine-t-il en quittant la pièce et en claquant la porte.

Monique prend peur. On court à son secours, pour éviter que la menace ne soit mise à exécution et que « le gars » ne parvienne à ses fins. Mais Albert ne part pas loin. Il s'isole sur son lopin de terre, à côté de la ruche qu'il a installée il y a une dizaine d'années. Il pleure et enrage. Ses croyances vacillent et son bourreau est plus insaisissable que jamais. Autour, le vent semble siffler dans les arbres : « Tu te pendras, tu te pendras… »

22
Les Jacky

1983

Ce n'était qu'un « malaise ». C'est ce que Liliane a toujours expliqué en parlant de la chute qu'elle avait faite dans l'escalier, en mars 1976. Jacky ne l'avait pas crue. Dans son esprit, elle s'était jetée volontairement du haut des marches pour perdre l'enfant qu'elle attendait. Peu après, elle faisait une fausse couche.

Certains frères de Jacky pensaient même qu'il s'agissait d'une tentative de suicide. À cette époque, elle en avait déjà commis deux ou trois. Chaque fois que Jacky menaçait de la quitter, elle attentait à ses jours. Devant les gendarmes, un de leurs amis détaillera l'une de leurs disputes les plus rudes. Les époux ferraillaient sur le bord de la route de Jussarupt, lorsque Liliane avait soudain bondi sur la voie, pile au moment où une voiture approchait. On l'avait retenue à temps.

Ce genre de drame a largement alimenté la chronique de sa « fragilité », que les médisants assimilent à « de l'hystérie ». Bien qu'anecdotique, une autre scène

155

a marqué l'assistance : un après-midi, dans la maison d'Aumontzey, Albert lui avait demandé de pousser son sac à main, accroché sur une chaise, parce qu'il gênait le passage. Aussitôt, elle avait quitté la pièce en claquant la porte.

Grands chagrins et petites chicaneries ont fini par former un tout, une sorte de nuage sombre aux vapeurs irritantes, que les Villemin repoussent avec constance.

Par ricochet, Jacky en fait les frais. Il a tenté d'arbitrer, de jouer les pacificateurs. Quand Liliane se plaint à son oreille, il relaie ses griefs, mais sa diplomatie échoue à tous les coups. Il a dû choisir son camp, celui de sa femme. D'autant que des mots douloureux le hantent encore. En 1973, pendant la première grossesse de Liliane, un copain d'Albert lui avait conseillé : « T'as qu'à lui donner une enveloppe pour qu'elle foute le camp. »

Les autres se sont mis dans la tête qu'elle dirige le couple, y compris dans l'hypothèse où tous deux se dissimuleraient derrière la pluie d'appels anonymes. Ils n'ont jamais vraiment pensé que Jacky était « le gars ». Il a beau être un peu original, il est trop doux, trop gentil pour comploter de telles perversions. Mais peut-être est-il influençable… Peut-être sait-il, au moins, qui est l'homme mystère sans oser le dire.

Le nom de Liliane, en revanche, s'impose. Elle aurait un mobile : sa détestation pour Albert. Un soir, vers 1977, n'a-t-elle pas soufflé avec aigreur : « La vengeance est un plat qui se mange froid » ? Albert s'en souvient encore, il était là, assis dans le salon ; lorsqu'elle a crié ça en quittant la pièce. Le contexte précis s'est perdu dans la brume de sa mémoire mais des années après, à l'heure du harcèlement téléphonique, la sentence prend des allures funestes. Comme un avertissement.

La répartition des rôles chez ceux qu'on surnomme « les Jacky » n'est pourtant pas si simple. Entre le « faible » et la « dure », les frontières peuvent s'obscurcir. Jacky laisse parfois échapper un geste de violence. Deux fois, il a levé la main sur sa femme jusqu'à la faire saigner du nez. Puis il lui a demandé pardon.

Pire encore, après la fausse couche de Liliane, Monique les a surpris tous les deux en pleine crise, dans la buanderie de la maison, à Aumontzey. Jacky était en train de la frapper. Et pour se justifier aux yeux de sa mère qui essayait de les séparer, il hurlait : « Tu te rends compte ! Elle a fait exprès de perdre le bébé ! » Un père inconnu, un enfant perdu. Ça vous esquinte les nerfs.

Mais ce que les autres ignorent, c'est surtout que Jacky et Liliane vivent un calvaire semblable au leur. « Le gars » les a aussi inscrits sur sa liste.

Lors du fameux appel dont il a été témoin à leur domicile, Gilbert Villemin a pu remarquer un détail. À côté du téléphone, un magnétophone enregistrait la conversation, comme chez Albert et Monique ou chez Jean-Marie et Christine. Ce n'est pas un hasard s'ils ont adopté la même mesure.

Ce 28 janvier 1983, selon la date inscrite sur le cahier vert Clairefontaine de Monique, l'appareil a saisi les échanges. La voix rauque a fait retentir son rire machiavélique avant de se taire. Gilbert a attrapé le combiné : « Annonce-toi, espèce de salopard ! Qui tu es ? » Sans succès. Jacky a pris le relais et ne s'est pas laissé intimider : « On peut jouer à ce petit jeu-là, toute la nuit… De toute façon, ça m'dérange pas, je travaille pas aujourd'hui. » « Le gars » a finalement raccroché.

L'instant d'après, ça a de nouveau sonné et Liliane, excédée, a décroché. Ce n'était plus la voix du « gars » mais celle du cousin Bernard Laroche. « J'ai essayé d'appeler, votre poste était occupé. Vous étiez en ligne ?

— Oui, c'était encore l'autre andouille !

— Ah bon ? Vingt dieux… Je voulais vous proposer une belote chez moi, ce soir. »

Jacky décline car il travaille ce soir-là. Il a menti à « l'emmerdeur » pour le piéger. Depuis un an et demi environ, son couple subit ses assauts téléphoniques. Tout a commencé vers le milieu de l'année 1981, selon le témoignage qu'il livrera aux gendarmes. De brefs appels, des silences, des râles, une voix féminine dans un premier temps, puis masculine et rauque. Quelques mots moqueurs : « T'es cocu », sans qu'on sache s'ils s'adressaient à Jacky ou à Liliane. Un jour, le mauvais plaisant a même imité un grognement de cochon.

Courant 1982, la cadence s'est accélérée. Une nuit, la sonnerie n'a pas cessé de retentir. « Je te ferai chier toute la nuit », salivait l'autre dans l'écouteur. À tel point que, de guerre lasse, ils ont dû débrancher la ligne.

Quand, plus tard, « le gars » a glissé à Jacky qu'il « connaissait ses horaires de travail », la peur est montée d'un cran, avec la sensation qu'ils étaient observés, espionnés. Et c'est ainsi que leurs enregistrements ont débuté.

Leur histoire ressemble beaucoup à celle du reste de la famille, jusqu'aux intrusions physiques. Un matin, Jacky a découvert les deux pneus de sa voiture crevés. Il a déposé plainte pour « dégradations et violences téléphoniques ».

Ils ne savent pas qu'on les soupçonne d'être les correspondants anonymes. Ils ont compris que Roger Jacquel, le père de Liliane, était dans l'œil du cyclone. Mais pas qu'on les imagine complices voire instigateurs. À force, le doute les étreint. Liliane mène sa propre enquête. Elle épluche les factures de son père pour détecter une éventuelle hausse des communications. Elle le suit aussi discrètement au bistrot, où il a ses habitudes, pour voir s'il n'utilise pas la « cabine téléphonique ». Mais rien ne vient étayer ses présomptions.

S'ils n'en parlent pas aux autres, c'est sans doute parce qu'ils vivent à l'écart. En son for intérieur, Jacky reste « le bâtard ». Il a souffert de la réaction agressive de Michel lorsque le secret s'est éventé. Il s'est toujours senti mal aimé d'Albert. À présent, il a l'impression que son fils Éric pâtit du même rejet. « Oh, je sais, je suis faible », dit-il en guise d'autoflagellation. « Depuis tout petit, on m'a pris pour un con ! » se lamente-t-il, la main tremblant de chagrin.

Quand sa blessure le brûle trop, il s'emporte : « Vous m'emmerdez tous ! Puisque c'est ça, je vais trouver mon vrai père ! » Mais l'a-t-il cherché ? Il n'en a jamais rien dit. Ou bien a-t-il échoué à le rencontrer ? Monique a tardé à lui révéler son identité. À vrai dire, le seul qui semble prêt à tout lui dire à son sujet se trouve au bout du fil.

La mère du « bâtard »

23 février 1983

Jean-Marie ouvre les yeux. Son sommeil du lundi matin est brutalement interrompu. La nuit précédente, il a usiné chez Autocoussin jusqu'à 5 heures. Il est maintenant 10 heures, Christine est au travail, Grégory chez sa grand-mère Gilberte. La sonnerie du téléphone vient de le tirer de ses rêves.

Le jeune père s'extrait du lit pour aller décrocher le combiné. Un silence. Puis la même voix rauque qu'il a déjà entendue sur la cassette de ses parents. C'est leur premier dialogue direct. Jusque-là, sous ce toit, seule Christine a eu affaire à lui. Il s'empresse d'appuyer sur la touche « record » de son magnétophone. La cassette se met à tourner. Mais cette fois, il n'y a pas d'insultes ni de menaces. « Le gars » a envie de causer, et il a des choses à dire.

Au fur et à mesure de l'échange, Jean-Marie s'imagine qu'il est en train de converser avec son suspect principal, Roger Jacquel, mais il n'en est pas certain. Chaque minute qui s'écoule est l'occasion d'arracher quelques indices. Très rapidement, l'inconnu dévie sur Jacky.

« C'est encore lui qui est mis de côté, souffle "le gars" de sa voix d'asthmatique surjouée. Bien sûr, c'est le bâtard mais y en a un autre, de bâtard. Et je suis peut-être le seul à savoir qui c'est… »

En écoutant la bande sonore qui restera la plus longue jamais enregistrée, on peut douter. Est-ce un homme ? Par moments, la voix ressemble à celle d'une femme, d'une vieille sorcière comme on peut en entendre dans les films. Il (ou elle) poursuit :

« Et ta mère, elle le sait aussi. Elle a peur de la vérité… »

Jean-Marie tente de paraître imperturbable et adopte un ton un peu joueur :

« Ah bon, mais dis voir qui c'est, l'autre bâtard… Ça peut être intéressant pour moi.

— Ah, je peux dire que ça peut pas être le tout fou d'à côté, il est aussi fou que son père ! C'est à toi de chercher. Je t'ai téléphoné, y a que toi qui es au courant…

— Oui, mais…

— Ce sera à toi de chercher.

— Tu sais, je n'veux pas me casser la tête là-dessus, hein ! Si tu m'disais qui c'était, encore…

— Et tu ne pourras pas en parler à ta mère, parce que tu n'auras pas de preuve. Y a qu'elle qui enregistre. Si tu lui en parles, elle va croire que tu lui racontes des conneries, et tu seras mis de côté aussi… Ha, ha !

— Mais je n'vais pas lui en parler, hein… Si tu m'disais un peu qui c'était, j'pourrais dire des noms…

162

— Pourtant, il lui ressemble. Si le grand, c'est un bâtard, l'autre aussi c'en est un. Et c'est du même Thiébaut.

— C'est du même Thiébaut ? Eh, dis voir, qui c'est donc ? Gilbert ?

— Trop pressé. C'est la dernière fois pour tout le monde que je téléphone. J'arrêterai. Et voici pourquoi je vous ai fait chier pendant deux ans… Y a pas de raison que le grand prenne toujours… On le met toujours de côté… Han, han…

— Eh, il y a une chose que je… »

Jean-Marie n'a pas le temps de terminer sa relance, l'autre a raccroché. Plus tard, il pourra quasiment répéter par cœur la conversation mais au moment où il se retrouve seul, le téléphone planté dans la main, le jeune homme se sent fébrile. Les indices ont fusé. La clé de l'énigme semble à portée de main.

Tout ramène à Jacky… et à Monique. « Le gars » la connaît, intimement peut-être. Il la traite de putain, l'attaque sur une supposée légèreté passée, sous-entend qu'elle cache encore des secrets. Il faut sans doute chercher l'origine de la haine de ce côté-là.

Jean-Marie se surprend à penser avec tant de force à cette hypothèse qu'il en oublie la grande information mise au jour : l'identité du vrai père de Jacky, « Thiébaut ». Si c'est bien lui, il n'en a jamais entendu parler. Il y aurait lieu de creuser la piste, et pourtant, la confidence est déjà éclipsée par l'autre mystère : qui dans la famille pourrait être le second « bâtard » ?

À 11 heures et demie, Jean-Marie ne tient pas en place. Il n'a plus qu'une idée en tête : confronter Monique à ces révélations pour lui tirer les vers du nez. Albert ne doit surtout pas être là. D'abord pour

163

l'épargner, au cas où il ignorerait lui-même cette « vérité ». Mais aussi pour se trouver en tête à tête avec Monique, les yeux dans les yeux. L'explication doit avoir lieu avant 13 heures, c'est-à-dire avant que son père ne rentre de l'usine.

Jean-Marie vole à la MCV récupérer Christine à sa sortie du travail. Ils déjeunent à Lépanges en quatrième vitesse. Puis leur voiture fonce à Aumontzey où Monique, seule, découvre avec surprise le couple de visiteurs. « Il faut qu'on parle », annonce Jean-Marie. Christine les laisse tranquilles dans le salon et s'isole dans la cuisine.

Sur la table du séjour, Jean-Marie installe le magnétophone et enclenche le bouton « play ». Sous le feu de son regard, mi-interrogatif, mi-soupçonneux, Monique reçoit le monologue du « gars » en pleine face. Elle blêmit. Le nom « Thiébaut » claque comme une gifle. Elle ne tergiverse pas et soupire :

« Oui… C'est bien lui… C'est le père de Jacky. »

Par la suite, chacun des frères et sœur Villemin pourra reconstituer le puzzle. Thiébaut, juste le nom d'un type que Monique a connu dans sa jeunesse. Une relation zigzagante de quelques mois qui s'est achevée pendant la grossesse. Thiébaut est parti. On l'avait prévenu que le père Léon voulait lui demander des comptes, et il s'est fait oublier. Il a même oublié le nom de son amante.

« Est-ce qu'il y a un autre enfant qui n'est pas d'Albert ? »

Jean-Marie se montre insistant dans ses questions et Monique semble souffrir de devoir raviver ses souvenirs. Dans le salon, elle se met à pleurer. « Mais non, je te jure, il n'y en a pas d'autre… »

« Le gars » a exclu Michel, qu'il surnomme « le tout fou », qui ressemble trop à son père pour laisser subsister le moindre doute. Qui, alors ? Gilbert ? Le petit dernier, Lionel ? Ou Jean-Marie lui-même ?

« Je te jure, c'est faux... », répète Monique.

À bâtons rompus, Jean-Marie persiste à tirer le fil. « Qui est "le gars" ? Tu sais qui il est ? » Monique continue à pleurer et à nier. « Non, je ne sais pas, j'ai beau chercher, je ne sais pas... »

Serait-ce Thiébaut en personne ? « Non, il est parti, il est plus dans le coin » et n'a jamais donné de nouvelles. Un amant éconduit par le passé ? Monique est restée fidèle à Albert, affirme-t-elle. Avant, il n'y a eu qu'une aventure. Qui, alors ? La question roule et revient comme une vague, sans cesse fracassée sur le même récif silencieux.

Il ne reste plus qu'une poignée de minutes pour faire la lumière. Albert ne va pas tarder à franchir cette porte. « Est-ce que je peux lui faire écouter la cassette ? » demande le fils. Abattue mais résignée, Monique accepte.

Dans les minutes qui suivent, c'est au tour du père Villemin de découvrir la bande sonore. Sur son visage, un léger doute, voire de l'aigreur, avoisine la tristesse. « Si ça continue, je vais plus avoir de gosse à moi... », lâche-t-il, dépité.

Être ou ne pas être un « bâtard » ? se demande-ront les fils. Être ou ne pas être un père ? s'inter-roge Albert. Au plus fort de ses périodes de cafard, il se lamentait déjà en assurant que sa femme n'aurait jamais accepté de l'épouser si elle n'avait pas été enceinte et contrainte de trouver un père de substi-tution à son premier enfant. « Le gars », une fois de plus, appuie là où ça fait mal. En quelques mots, c'est le *strike* : tout le monde est touché. Les fils doutent de leur identité, le père de sa légitimité et la mère est salie par le soupçon. Même Jacky, défendu par un improbable partisan, fait les frais de la paranoïa généralisée.

En prêtant davantage attention au contenu de la cassette, Jean-Marie va cependant ramasser un autre petit caillou sur le chemin qui, espère-t-il, le mènera à la solution. Peut-être n'est-ce qu'une approximation de son interlocuteur mais tout de même, il y a de quoi cogiter. En effet, une parole parmi d'autres livre une clé chronologique : « Voici pourquoi je vous ai fait chier pendant deux ans… »

24

La première lettre

Mars 1983

« Deux ans » plus tôt… Jean-Marie fait le calcul et remonte le temps. Jusque-là, de son point de vue, le premier forfait du « gars » datait du mois de novembre 1981, lorsque le carreau de sa porte d'entrée avait été brisé. Puis, se souvenant qu'il n'y avait pas seulement un homme mais aussi une femme, il se remémore l'appel plus ancien avec la chanson « Chef, un p'tit verre, on a soif ». C'était à l'été 1981. Mais que s'était-il passé avant, au cours des trois mois précédents ?

Il n'aurait sans doute pas trouvé sans le concours de Monique. À force de discuter et de multiplier les spéculations, ils exhument de l'oubli un autre épisode, qui leur a paru insignifiant sur le coup, mais qui leur semble louche désormais. Vers janvier ou février 1981, le téléphone avait sonné à Aumontzey, chez Albert et Monique. À cette époque, leur fils, Gilbert Villemin, effectuait son service militaire. Il appelait de temps en temps pour donner des nouvelles.

Sa compagne, Marie-Christine, se rendait alors chez ses beaux-parents pour pouvoir lui parler. Cet après-midi d'hiver, la jeune femme avait décroché, pensant reconnaître la voix de son amoureux. Mais au bout du fil, l'interlocuteur n'émettait pas un son. Quelque temps après qu'il avait raccroché, Gilbert s'était enfin manifesté. « Tu m'as fait une blague ? » lui avait-elle demandé. Surpris, il avait démenti.

« Et si c'était "le gars" ? » s'interroge Jean-Marie avec sa mère, en ce mois de mars. La voix rauque serait-elle restée silencieuse plusieurs mois avant de souffler ses premières salves ?

Deux ans plus tard, Jean-Marie phosphore avec des fragments de souvenirs à recoller. Que s'est-il passé début 1981 ? Quel a été le déclencheur ? « Le gars » a beau affirmer que son acharnement vise à venger Jacky « le bâtard », le lancement de ses hostilités correspond pourtant à la promotion de Jean-Marie et à son emménagement à Lépanges. Au temps béni où tout allait pour le mieux. Il n'avait pas de ligne et ne pouvait donc être harcelé, mais dès que les PTT lui ont fourni un abonnement, les appels ont débuté. D'ailleurs, même si Albert et Monique trinquent, les menaces à leur encontre demeurent verbales. Tandis que dans son cas, « le gars » s'est permis plusieurs intrusions physiques. Peut-être parce que l'accès à la maison d'Aumontzey est plus compliqué. Au chalet de Lépanges, la voie est libre, pour peu qu'on se fonde dans l'obscurité de la nuit. Alors que du côté des parents, il y a le berger allemand de Michel qui pourrait aboyer ou mordre un mollet imprudent. Autre théorie : « le gars » s'approche parce qu'il est vraiment prêt à en découdre avec lui.

168

Une semaine après l'évocation du « deuxième bâtard », la matinée du 4 mars 1983 offre une nouvelle preuve de l'audace de l'acharné. Ce n'est pas Jean-Marie mais Christine qui se trouve encore témoin d'une incursion. Ce jour-là, la jeune mère rentre déjeuner en sortant de la MCV. Vers 11 h 30, elle ouvre les volets et aperçoit un papier glissé là en son absence. Elle ramasse la feuille et la déplie. L'écriture est en lettres bâtons :

JE VOUS

FEREZ

VOTRE

PEAU A LA

FAMILLE

VILLEMAIN

« Je vous ferez votre peau a la famille Villemain »

Sous le choc, Christine jette un œil alentour. La rue est déserte. L'orthographe de l'expéditeur est approximative mais le message est clair. Et si l'on doutait encore d'un lien entre la missive et les autres menaces, la confirmation parvient une trentaine de minutes après. Vers midi, le téléphone du salon sonne à deux reprises. Mais il n'y a personne au bout du fil. Le silence est une signature.

En rentrant à son tour, un peu plus tard, Jean-Marie découvre le papier que Christine a laissé sur la table du salon, accompagné d'une ligne griffonnée pour l'avertir des deux appels anonymes en bonus. Un jour, « le gars » lui propose une devinette, un autre il le menace de mort… Comme chaque fois qu'un seuil est franchi, Jean-Marie alerte la gendarmerie. L'adjudant Féru, qui dirige les investigations depuis le dépôt de plainte, le joint dès qu'il le peut. « Qu'est-ce qui vous arrive ? Encore des misères ? »

Le fils Villemin lui détaille l'inquiétant message. Et précise : « Il a fait une faute, il a écrit VILLEMAIN, *a*, *i*, *n*, à la fin…

— C'est pas un membre de votre famille parce qu'il aurait pas fait cette faute, répond Féru. C'est pas un membre de votre famille, ni proche, ni éloignée… » Il réfléchit à haute voix : « À moins que ce soit fait volontairement, mais c'est peu probable… »

Jean-Marie acquiesce. Les ratures visibles sur le papier laissent imaginer un expéditeur brouillon et inappliqué. Le gendarme pense déjà à l'étape d'après, la tenue d'une dictée pour confondre un suspect. « Je préférerais que personne ne sache qu'il a fait cette faute…

— D'accord, abonde Jean-Marie. Je peux très bien parler de la lettre, mais la faute, j'en parle pas. »

Le gendarme se persuade d'être sur la bonne voie : « On se rapproche… »

En attendant, Jean-Marie se sent de plus en plus dans la ligne de mire, au sens figuré et presque au sens propre. « V'là qu'il te menace, suffoque Monique. Tu te rends compte ! » Aux repas familiaux, les cerveaux sont en surchauffe. Avec Gilbert ou Nonoche, le mari de Jacqueline, Jean-Marie discute, piétine dans la cour des parents et, d'un coup, se fige sur place : « On nous observe, c'est pas possible… » Tous regardent vers les cités jaunes, érigées juste en face, à quarante mètres, ils scrutent les fenêtres à la recherche d'un œil sombre qui les dévisagerait, d'un visage qui apparaîtrait derrière un carreau, ou de jumelles qui réfléchiraient les rayons du soleil. « Il est là, tout près… » En écoutant les perfidies du « gars », ils savaient déjà qu'il les tenait en joue. Avec cette phrase qui tourne sans cesse dans sa tête – « Ça fait deux ans que je vous fais chier » –, Jean-Marie se dit qu'« il » les épie depuis plus longtemps encore. « C'est qui ? Michel ? » hasarde Nonoche. « Non, impossible », tempère Jean-Marie. Michel ne serait pas capable d'une telle intrigue, bien qu'il soit jaloux comme un pou de la réussite sociale de son frère. N'empêche, le type n'est pas loin.

La veille, Albert et Monique ont encore reçu deux visites impromptues – si on peut dire, car, sans s'habituer aux dérangements, ils sont de moins en moins surpris. Mais cette fois, « le gars » et sa femme se sont trahis sur un point. Deux hommes ont reçu un appel de cette complice : « Venez vite, Albert s'est pendu ! »

Le marginal Hollard, que le père Villemin avait tendance à classer parmi les suspects, est arrivé avec sa famille une couronne mortuaire dans les mains, achetée en catastrophe aux pompes funèbres. Quand Albert a surgi sur le seuil, ils sont restés comme deux ronds de flan, plantés devant lui, s'empressant de dissimuler la couronne dans leur dos. Ça n'a pas été une mince affaire que de chercher un prétexte pour expliquer leur venue, et un sujet de conversation pour écourter la gêne… Ce jour-là, le chef des pompiers d'Aumontzey a reçu une communication identique. Au téléphone, la jeune femme faisait semblant de pleurer mais son jeu était si excessif qu'il a flairé l'entourloupe. Deux pompiers ont cependant pris la direction de la maison pour « décrocher » Albert qui se serait pendu « au tuyau rouge de la chaufferie », selon les mots prononcés. Il y a bien un tuyau rouge dans la buanderie mais aucune corde n'y est nouée.

Si « le gars » et sa camarade de jeu ont un peu failli, c'est en composant le numéro du chef des pompiers. N'importe qui aurait tourné le « 18 » sur son cadran. L'inconnue, elle, a téléphoné au domicile du capitaine. Soit elle le connaît, soit, et l'hypothèse est plus vraisemblable, son numéro figurait sous ses yeux au moment où elle commettait son forfait macabre. Or, on le trouve sur le calendrier des pompiers que l'on distribue aux habitants d'Aumontzey. Autrement dit, le couple mystère doit résider à Aumontzey.

C'est une certitude croissante, et Monique en obtient une nouvelle preuve au cours du mois de mars. Les gendarmes passent la saluer, tandis qu'elle s'occupe de son jardin, et échangent quelques paroles avec elle. Trente minutes plus tard, la voix rauque l'importune

172

et fait allusion à la visite des officiers. Comme s'« il » avait une vue imprenable sur leur quotidien en permanence. Albert a bien noté à plusieurs reprises que la sonnerie retentit au début de sa sieste, c'est-à-dire peu après le départ de son épouse, quand elle s'absente pour faire le ménage chez le fils du maire, qui l'emploie.

Il voit tout. Déjà, en septembre dernier, « la femme » avait appelé à l'usine de Gilbert pour dire que Monique avait eu un grave accident de voiture. Gilbert s'était précipité vers la maison familiale pour découvrir qu'il s'agissait d'un canular. Un quart d'heure après, « le gars » téléphonait à Monique pour se réjouir : « Je l'ai bien eu, le petit con ! » Forcément, il avait dû être témoin de la venue du fils Villemin.

Petit à petit, pour qui prend le temps d'analyser, les indices s'amoncellent. « Le gars » vit à Aumontzey. Il œuvre avec une femme. Il connaît suffisamment bien Monique pour savoir le nom du père de Jacky. Il est assez proche de la famille pour connaître l'intérieur de leurs maisons mais pas assez pour écrire leur nom sans faute d'orthographe. Albert croit aussi avoir entendu un enfant en fond sonore, des pas dans un escalier et le bruit d'une machine à tisser. Comme dirait le gendarme Féru : « On se rapproche. »

25

L'appel oublié

Mars 1983

« Bande de fous… » Bernard Laroche n'est pas un grand causeur ni un grand expressif. Son regard laisse passer la lumière plus qu'il ne la capte. Ceux qui lui confient leurs malheurs ne trouvent pas vraiment de réconfort dans ses paroles laconiques. Il a toujours l'air un peu atone, un peu ours. Il n'a pas 30 ans mais il fait plus vieux, engoncé dans une vie déjà figée, entre sa femme Marie-Ange qui ne le rend pas heureux, son fils Sébastien et leur chien Prince. Même quand on lui rapporte ces histoires de « gars », il n'a pas l'air si chamboulé. « Ils sont fous, ceux qui font ça », marmonne-t-il à la façon d'un Obélix sans potion magique, lissant sa moustache avec ses doigts, de haut en bas.

Pourtant, il n'en perd pas une miette. Monique lui détaille les turpitudes dont ils sont victimes, lorsqu'il passe dire bonjour à Aumontzey ou lorsqu'il coupe les herbes folles de leur jardin. « On a prévenu les gendarmes, y vont mettre sur écoutes », annonce-t-elle.

Avec sa nonchalance habituelle, il relativise : « Faut pas en faire des cas. » Si Monique se confie à lui, ce n'est pas seulement parce qu'elle est bavarde. Mais surtout parce qu'il est de la famille : le sang des Jacob coule dans ses veines. Sa mère, Thérèse, morte en couches, était l'une des sœurs de Monique. En regardant son neveu, elle doit voir l'âme de sa cadette disparue. Elle le considère comme un fils. Albert l'apprécie et reconnaît sous ses traits un autre visage : le père de Laroche, Marcel, à qui il ressemble tant. Il est mort l'année dernière, en juin 1982, d'un cancer qui le dévorait depuis plusieurs mois. C'était son ami : il respirait la gentillesse et, comme lui, il faisait figure de « pièce rapportée » chez les Jacob, il était lui aussi un étranger venu épouser une fille de la famille. Les deux gendres partaient ensemble dans la forêt couper du bois. Aujourd'hui, Bernard Laroche fait exactement la même chose avec son cousin Michel. L'hiver, avec un peu d'imagination, les fils pourraient distinguer dans la neige les empreintes laissées par leurs pères, et dans lesquelles ils posent à leur tour leurs pieds.

C'est dans la tranquillité de ces moments, dans les bois ou en sirotant un verre, que Michel lui raconte, lui aussi, les embrouilles familiales, que « le gars » semble tout connaître d'eux. « Celui-là, le jour où on l'attrape, on lui casse sa gueule ! » gronde le plus nerveux des Villemin.

La première fois que Laroche a eu vent d'un appel anonyme, c'était par l'intermédiaire de Monique et ce n'était pas sur le ton de la confidence. C'était plutôt sur celui du reproche. À ce stade, il n'était pas encore question de « gars » ni de harcèlement. Au printemps 1981, Monique avait reçu un coup de téléphone. Les premières secondes, elle n'avait d'abord rien entendu. Puis deux rires de femmes s'étaient entremêlés. Selon elle, il s'agissait de deux filles qui, à l'oreille, ne devaient pas avoir plus de 16 ans. L'espace d'un instant, elle avait aussi vaguement saisi le babil d'un enfant en bruit de fond. Spontanément, elle avait pensé à Sébastien, le bébé de Bernard Laroche. Son intuition lui paraissait d'autant plus juste que Laroche logeait alors deux adolescentes : Isabelle Bolle, l'une de ses belles-sœurs, et Valérie Jacob, la fille de l'éruptif Marcel Jacob. Ces deux-là constituaient de bonnes suspectes.

Dans ce dérangement qui se résumait au rire de deux gamines, Monique n'avait vu qu'une blague, un divertissement d'après-midi. Elle avait tout de même appelé chez Laroche pour se plaindre mais son neveu l'avait envoyée promener : « T'es pas folle ? Ça ne vient pas de chez nous ! » À croire qu'il s'était senti mis à l'index. Eh, quoi, en creux, on l'accusait de ne pas tenir sa maison, de laisser deux mômes jouer avec son téléphone ?

Par la suite, jusqu'à ce que Monique et Jean-Marie entreprennent de faire la liste de toutes les éventuelles incursions du « gars » depuis le début de l'année 1981, l'épisode était tombé dans l'oubli et Laroche n'en avait plus entendu parler.

Il ne s'était pas trop épanché non plus concernant un autre appel, sensiblement à la même période, et dont il avait été cette fois le destinataire, un soir de Saint-Valentin, soit le samedi 14 février 1981. Ce soir-là, à l'occasion de la fête des amoureux, Bernard Laroche et son épouse Marie-Ange recevaient Jacky et Liliane. Les deux couples ne se voient pas régulièrement mais se connaissent depuis très longtemps et aiment taper une belote à l'occasion. Laroche apprécie d'autant plus son cousin Jacky qu'ils ont presque été élevés ensemble dans la ferme des Jacob, sous l'œil du patriarche Léon et de la grand-mère Adeline. À la mort de sa mère, en couches, il avait été recueilli là, avec son père, comme deux âmes perdues. Laroche a donc grandi dans cette ambiance, sous le poids des mêmes secrets, notamment de l'inceste commis par Léon. Signe de ce passé en commun, il était présent le jour où Jacky a appris qu'il était un « bâtard ».

Leur proximité s'est ébréchée avec le temps, surtout depuis le mariage de Jacky avec Liliane. Laroche ne la porte pas dans son cœur, il la trouve « vantarde » et « menteuse ». Mais il jalouse la solidité de leur couple. « Comment vous faites pour vous aimer encore après toutes ces années ? » a-t-il demandé à Jacky, un soir de cafard.

Attablés tous les quatre, ils bavardaient lorsque le téléphone avait retenti dans cette maison où les Laroche avaient emménagé à Noël 1980, sur les hauteurs d'Aumontzey. Marie-Ange avait décroché. Une voix féminine demandait à parler à son époux. Elle avait tiqué mais s'était contentée de lui passer le combiné. Au bout du fil, Bernard avait alors entendu une déclaration d'amour enfiévrée : « Mon chéri, je t'aime, j'ai envie de toi… » Tout en gémissant ces mots, l'inconnue avait simulé un orgasme des plus démonstratifs. Curieuse, Liliane avait attrapé l'écouteur pour essayer de reconnaître la voix mais n'y était pas parvenue. Fidèle à lui-même, Laroche était resté stoïque, la moustache à peine défrisée par la surprise. Marie-Ange avait piqué une grosse crise de nerfs malgré les tentatives d'apaisement de son époux : « C'est une farce, je la connais pas ! » Chacun avait dû y mettre du sien pour l'empêcher de quitter son propre domicile.

Il y avait eu d'autres appels, l'après-midi ou en pleine nuit. Des odes sensuelles à Bernard Laroche, ou des ricanements aux oreilles de sa femme : « T'es cocue ! » Marie-Ange avait dû menacer de prévenir les gendarmes pour que l'amante réelle ou imaginaire cesse ses lascivités vocales. Celle-ci avait récidivé une dernière nuit, le 31 décembre 1981, en plein réveillon. Témoin du dérangement, le voisin Marcel Jacob avait entendu Marie-Ange éructer : « Tiens, c'est encore la salope ! »

Bernard Laroche a toujours pensé qu'il s'agissait de mauvaises blagues sans conséquence mais sa femme s'est mise à douter. D'autant que leur mariage avait déjà connu des loupés. Quatre ans plus tôt, en 1977, Marie-Ange s'était fait la malle parce qu'elle craignait de ne pas avoir suffisamment profité de sa jeunesse, de s'être laissé enfermer trop tôt dans le moule de la vie de couple. Elle avait 20 ans et elle aurait voulu qu'il l'emmène danser au bal ou en boîte. Lui ne concédait qu'une sortie à la pizzeria ou au cinéma, à la rigueur. Elle n'était pas partie très loin – dans le village voisin de Granges – ni très longtemps – à peine quelques semaines –, mais pour la fille Bolle qu'elle était, c'était déjà l'aventure. Rongée par le remords, elle avait fini par revenir au bercail où l'attendait Bernard Laroche, l'œil morne.

La plupart des gens tenaient sa famille – les Bolle –, échouée dans une bicoque de Laveline, pour des gens peu fréquentables : un père alcoolique, une mère qui faisait quinze ans de plus que son âge, épuisée par

les vingt et un enfants qu'elle avait mis au monde
– dont certains n'avaient pas survécu –, et des frères
bien connus des gendarmes pour leurs virées au bal,
armés de chaînes de tronçonneuses pour mieux sortir vainqueurs des bastons. Ce n'était pas du luxe, de
s'extirper d'une telle lignée.

À présent, en cette année 1983, elle reste sage dans
ce pavillon trop paisible qui donne sur la forêt. Parfois,
la nuit, quand Bernard trime à la filature de Granges
et qu'il la laisse seule avec leur fils Sébastien, Marie-
Ange se surprend à avoir peur, étouffée par les grands
arbres qui la dominent de leurs silhouettes noires et
par les indomptables bruits de l'obscurité. Il arrive que
deux de ses sœurs, Isabelle puis Murielle, viennent
dormir à la maison pour la rassurer et lui tenir compagnie.

Dans ces heures incertaines, Marie-Ange s'est
déjà interrogée : Bernard l'a-t-il trompée ? Est-il allé
voir ailleurs sans le lui dire ? « Jamais », selon lui.
Elle s'est débrouillée avec cette promesse. Et a fini
par oublier les mystérieux « je t'aime » de la Saint-
Valentin.

Témoins involontaires de cette intrusion téléphonique, avant d'en être à leur tour victimes quelques
mois plus tard, Jacky et Liliane n'avaient pas voulu
envenimer la situation. Ni poser trop de questions.
Pourtant, la « voix féminine » n'avait peut-être pas
frappé au hasard. Les accusations de tromperie, les
cancans sur le cocufiage resteraient l'un des thèmes
de prédilection du « gars », de la femme mystère…
et d'éventuels imitateurs. Mais en ciblant Laroche,
« ils » avaient trouvé un « bon client ». Début 1981,
sa réputation de « coureur de jupons », de « briseur

de ménages » avait déjà commencé à circuler dans les ragots. Sa drague auprès de Ginette, l'épouse de Michel, datait de 1979. Deux ans après, au cours d'un banquet de mariage, Christine Villemin avait aussi subi une surprenante tentative de sa part. Il était assis à côté d'elle et la future épouse de Jean-Marie avait senti la pression d'un pied sur le sien, sous la table, avec une certaine insistance. Un peu ivre et occupé avec d'autres invités, Jean-Marie n'avait rien vu sur le moment. Mais une fois mis au parfum, il avait glissé un message à son cousin, l'air de rien, au détour d'une conversation : « Celui qui cherche à draguer ma femme ou à partouzer, je lui fous une volée. »

Allusion gratuite ou au contraire bien renseignée, le numéro de « la femme en transe » sur la ligne de Bernard Laroche n'a pas marqué les esprits. Cependant, au milieu de l'épidémie d'appels hostiles, et si les souvenirs de l'intéressé sont justes, il s'agissait peut-être de la toute première manifestation étrange survenue dans le cercle Jacob-Villemin. Comme si elle avait annoncé – voire inspiré – toutes celles qui suivraient.

26

La maison des Jacob

1983

La maison des grands-parents Jacob n'est plus ce qu'elle a été. On n'entend plus le grouillement des gamins qui jouaient ou se faisaient disputer. Ni les grognements des cochons, même si des poules caquettent toujours. Ni les éclats de voix des soirs d'ivresse. Encore que Louisette, la petite sœur de Monique, prenne parfois des beignes.

Il ne reste plus qu'elle et sa fille Chantal, née de l'inceste, entre ces murs. Leur père commun, Léon, est mort en 1972. Sa femme, Adeline, lui a survécu trois ans. Leur progéniture est partie progressivement : les fils aux filatures, les filles au foyer. Marcel Jacob, le plus jeune, s'est envolé en dernier. Jusqu'à ce qu'il ne reste que les deux plus faibles, les deux femmes handicapées mentales.

Chacun voyait en Adeline Jacob une sorte de sainte ou de déesse, toute d'amour et de douceur, la seule qui soit suffisamment solide pour maintenir le lien entre ses nombreux enfants. Pourtant, quand elle a appris que son mari avait abusé de sa propre fille et que les gendarmes sont venus mener leur enquête de mœurs, elle a subi un choc si violent qu'elle ne s'en est jamais remise. Elle n'a plus dormi dans le lit conjugal, où Louisette l'a remplacée, malgré l'enquête de mœurs. Elle a commencé à boire pour ne plus s'arrêter, jusqu'à ce qu'elle meure, emportée par surprise dans son sommeil, en 1975.

Ce n'est alors pas un Jacob qui a hérité de la propriété mais un Laroche : le père de Bernard en l'occurrence, qui y avait trouvé refuge après la mort de sa femme. Il s'était porté acquéreur de la grange de ses beaux-parents, peu à peu rénovée à ses frais. Il n'a pas voulu ou pas pu aller plus loin une fois devenu veuf. Comme s'il n'avait jamais fait le deuil de son épouse. Du reste, il avait rendu tant de services aux Jacob, s'était tant dévoué corps et âme pour œuvrer au bon fonctionnement de cette demeure adoptive, qu'il méritait de la conserver. D'aucuns diraient qu'il était « trop bon », bonne poire, et que les Jacob profitaient du dévouement de ce gendre.

Lorsque les premiers signes de la maladie sont apparus, en 1981, le serviable Marcel Laroche a cessé d'aider, de travailler, de parler. On ne sait pas s'il avait vraiment connaissance du mal qui le rongeait mais il a fini ses jours à l'hôpital. Tous ne sont pas venus à son chevet. Jean-Marie Villemin, son filleul, avait eu peur. À cette époque, une croyance populaire disait que le cancer pouvait être contagieux si l'on touchait le linge des souffrants.

Après sa mort en juin 1982, c'est son fils qui est devenu propriétaire de la bâtisse des Jacob. Bien qu'il ait édifié son propre toit sur les hauteurs d'Aumontzey,

Bernard Laroche vivote aux deux endroits. Rien n'est loin de toute façon par ici. Quand il descend du lieu-dit La Fosse, il croise d'abord son oncle Marcel Jacob, qui vit à quatre-vingts mètres de lui et avec qui il aime faire de bonnes bouffes ou causer de travaux et de coupes de bois. Ils ont été élevés ensemble chez Léon et Adeline. En parcourant quelques centaines de mètres supplémentaires, il accède à cette ferme tombée dans son patrimoine, où l'attendent Louisette et sa fille. S'il continue en prenant la route de Frambéménil, il atteint la maison d'Albert et de Monique et, juste à côté, celle de Michel.

Tout le monde est plus ou moins voisin, et pourtant, qui s'occuperait de Louisette s'il n'était pas là ? Aucun des Jacob probablement. Même entre eux, ils ne s'aident pas, ne se donnent pas de nouvelles. Les oncles ne savent plus combien ils ont de neveux et de nièces, et ils ne connaissent pas non plus leurs prénoms. Laroche reste le seul visiteur. Il vient casser la croûte, bricoler s'il le faut, remonter le réveil de Louisette qui ne sait pas lire l'heure. S'il est mal luné et qu'elle devienne pénible, il s'autorise à lui coller une gifle. Déjà quand il était môme, il ne fallait pas trop lui chercher des poux. La colère, voilà ce qui peut ranimer son œil maussade. Il ne faudrait pas qu'on le prenne pour un con et qu'on dise de lui, comme on le faisait de son père, qu'il est une bonne poire. Déjà qu'il sue à l'usine, ce n'est pas pour suer aussi sur ses jours de repos. Il y a cinq ans qu'il a demandé une promotion pour devenir contremaître. Le moins qu'on puisse dire, c'est qu'elle tarde à venir. Début 1981, alors qu'il traversait une période de chômage, il avait demandé à Jean-Marie si ça embauchait chez Autocoussin, mais il n'a jamais eu de réponse. Décidément, personne ne l'aide.

Même Monique ne met pas souvent les pieds chez Louisette. Elles pourraient bavarder un peu. Malgré le retard mental de sa sœur, ce n'est pas impossible : on peut suivre avec elle le fil d'une conversation. Elle a du bon sens et une excellente mémoire. Mais il ne faut pas se décontenancer face à son rire soudain, ses petites piques et ses observations malicieuses, sans filtre, incongrues. Pourtant, Monique préfère la compagnie de ses autres sœurs, à qui elle raconte tout, pendant ces interminables après-midi, en particulier ce que lui fait subir « le gars ».

L'une des dernières fois, peut-être la dernière, où la mère Villemin a mis les pieds dans cette maison, à l'été 1982, elle en est repartie contre sa volonté. Pas à coups de pied aux fesses mais presque. Bernard Laroche l'a surprise, avec ses sœurs, en train de fouiller dans les affaires de son père Marcel, décédé peu de temps auparavant. Monique jurera qu'elle cherchait simplement « du linge » et se scandalisera d'avoir été traitée de la sorte. Mais chez les Laroche, on répandra une autre version. Monique cherchait un secret, un autre de ces secrets dont le foyer des Jacob semble regorger : une lettre.

« On a surpris une femme de la famille en train de fouiller dans les affaires du papa de Bernard... », a lâché, sibylline, Marie-Ange, lors d'une soirée avec Jacky et Liliane. Chacun a compris de qui il s'agissait.

Depuis la mort de Thérèse Laroche, une sorte de légende se transmet chez les Jacob. Avant de mourir, la jeune femme aurait laissé une lettre à sa mère, Adeline. S'attendait-elle à une issue fatale à la maternité ?

186

Personne ou presque ne sait ce qu'elle a écrit mais on dit qu'Adeline était bouleversée en la lisant. Peut-être ses mots étaient-ils aussi simples et beaux que : « Si je devais mourir, promettez-moi de vous occuper de Bernard. » Ou peut-être révélaient-ils quelque chose de plus inattendu. On l'ignore mais dans la famille, pareille à un village, la rumeur se contente de peu pour naître et circuler. Dans ce bruit de fond, nébuleux et intrigant, le prénom de Monique revient souvent. Comme si elle détenait la clé.

27

« Tu as peur »

Mars 1983

C'est une conversation enregistrée entre Monique Villemin et « la voix rauque », à propos de la lettre glissée dans
les volets de Jean-Marie et Christine. Monique tente de se
payer la tête de son interlocuteur, qui reste impassible.

Monique : « C'est toi ? Tu es revenu.

— Oui.

— Ça va ?

— Ça va.

— Qu'est-ce que tu deviens ? On ne t'a pas vu, dis
voir, depuis un certain temps. Tu as envoyé une lettre
à Jean-Marie et Christine, c'est gentil.

— Quand j'ai été la poster, ils n'ont rien entendu…
Je peux y aller quand je veux.

— Oh, écoute, à 4, 5 heures du matin on s'en doute,
hein. Tu te lèves même la nuit…

— Bien sûr.

— Ben dis donc, t'es courageux, hein ? Moi, je ne
m'amuserais pas à me lever la nuit, hein ? C'est bête,
tu casses ton sommeil pour nous. C'est ridicule.

— Ouais, c'était pour t'embêter… La pute, tu t'envoies tranquille maintenant…

— Oh ben dis donc, la pute, j'ai sûrement pas été la tienne !

— C'est encore à voir…

— C'est encore à voir, c'est vu d'avance ! Si tu es mon maquereau, je saurai bien qui tu es.

— Tu le sais très bien… Tu as peur que je le révèle.

— Ben qu'est-ce que ça fout ? Tu te trompes, tu sais, pass'que moi j'ai rien à me reprocher. Si j'ai eu un gosse, je l'ai élevé. J'ai pas eu besoin de toi.

— Y a un con qui l'a ramassé.

— Oh sûrement pas, et le con, il t'emmerde ! Tu sais pas ce qui t'attend ! Tu sais pas ce que l'avenir te réserve, hein ? Ce que tu réserves, toi, tu le sais ? Toi, ce que tu vas faire, tu ne le sais même pas ! »

28

Pleine lune

Avril 1983

Jacky se rallume une cigarette. La fumée qu'il recrache n'est rien à côté de celle qui émane de son cerveau. « Le grand » gamberge. La cassette audio qui tourne dans le magnétophone assombrit encore plus le labyrinthe dans lequel son esprit se perd. Dans la famille, les hommes sont tous un peu bricoleurs, un peu charpentiers, bâtisseurs. Mais cette fois, les pièces ne s'imbriquent pas. Jacky ne réussit pas mieux que ses frères à briser le mur du mystère. De temps en temps, ses constructions mentales s'échafaudent avec logique. D'autres fois, elles s'écroulent en conjectures hasardeuses. Comme lorsqu'il regarde le calendrier et qu'il déduit qu'à chaque manifestation frappante du « gars », la lune est pleine. C'était le cas la nuit où les pneus de sa voiture avaient été crevés. Le malfaisant serait donc sous influence céleste…

Narrateur d'histoires à dormir debout, Jacky se trouve être à présent, contre son gré, l'un des protagonistes. Depuis que le type s'est mis à prendre

191

sa défense, il se sent davantage ciblé, « manipulé ». Jusqu'alors, il savait que les soupçons des Villemin s'orientaient vers son beau-père, Roger Jacquel. Avec cette dernière communication enregistrée, il se doute que Liliane va être à son tour calomniée. Tout est fait pour. Jean-Marie a sa conviction. Monique le lui a confirmé : « Écoute voir, Jean-Marie en a plein l'cul, depuis le temps qu'on lui fait des vacheries… Il est borné là-dessus, il pense que c'est vous. » À côté, Albert n'a pas moufté. « C'est pas nous, c'est pas nous », s'est défendu Jacky.

Mais ça n'a pas suffi. Un après-midi, le père Villemin a tenté une autre approche, plus louvoyante. Il a joué les confidents, les accoucheurs magnanimes, avec un sourire hypocrite. « Allez, si c'est vous, Liliane, dites-le-moi. Promis, ça ne sortira pas d'ici… » Liliane était outrée. Elle s'est agenouillée devant son beau-père, en pleurs : « Je vous jure que c'est pas moi, je vous le jure ! » Un peu embarrassé, Albert a mis un terme à l'humiliation : « Bon, bon, d'accord, on cherchera ailleurs, alors… »

« Le bâtard » enclenche le bouton « play ». La bande recrache quelques minutes d'angoisse. Il entend d'abord son fils Éric, 10 ans, décrocher : « Allô ? » Déjà que le gosse a la trouille, à force d'être témoin des appels en pleine nuit, cet épisode n'arrange pas ses insomnies. Sa mère doit le serrer dans ses bras et le rassurer pour qu'il parvienne à se rendormir. Ils ne peuvent pas se mettre sur liste rouge, ça nuirait au travail d'appoint de Liliane au journal *La Liberté de l'Est*. Elle doit toujours être joignable.

« Allô ? » C'est, semble-t-il, une voix de femme qui parle. Il la découvre pour la première fois.

« Qui c'est ? demande le garçonnet.

— Ta maman, elle est là ?

— Oui.

— Tu veux me la passer ?

— Oui... »

Liliane s'empare de l'appareil. Aussitôt, la jeune femme disparaît et « la voix rauque » prend la parole. Comme si l'une passait le combiné à l'autre. Ou comme si elle se transformait... La pleine lune changerait-elle les femmes en hommes ?

« J'ai fait ce que tu as voulu, alors il faudrait pas que tu me laisses tomber. Parce que sinon je te dénonce à tes beaux-parents.

— Dénoncer quoi ? reprend Liliane avec stupeur.

— Tu le sais très bien, et j'en parlerai à ton vieux.

— À mon vieux ? Quel vieux ?

— À ton homme. Tu sais très bien l'affaire qu'il y a en ce moment.

— Quelle affaire ? Non, je ne sais pas.

— Maintenant que ça va trop loin, tu veux te débiner mais je saurai te faire chanter. Tu as compris ? Tu marches avec moi mais quand tu vois que ça va trop loin, tu veux que j'arrête... Oui ! Oui ! Attends ton homme, il en aura des échos. »

Le bruit s'est répandu : l'enquête de gendarmerie monte d'un cran avec la mise en place d'écoutes sur certaines lignes téléphoniques. Monique l'a largement répété autour d'elle.

« À quel sujet que je marche avec toi ? poursuit Liliane.

— Pour tes beaux-parents, tu sais très bien. Tu veux que ton beau-père se suicide.

— Mooh ! Salaud, va ! hurle-t-elle.

193

— Et tu veux mettre ça sur le dos de ton père…

— Espèce de salaud !

— T'es maligne, hein, mais je t'aurai. Et je te dénoncerai si tu continues à ne plus vouloir marcher avec moi. Tu fais l'ignorante.

— Je ne sais pas de quoi tu causes. Dis-moi au moins de quoi tu causes…

— Des coups de téléphone que je donne à tes beaux-parents pour toi.

— Pour moi ? Tu te rends pas compte ! Pour moi ? Mooh, c'est pas possible ! Quel mal que j'ai donc fait ? Tu veux que ce soit moi qui me suicide ? Eh bien, tu vas gagner, mon petit ami, parce que c'est moi qui vais me faire la peau. Parce que j'en ai déjà eu assez sur le dos, hein ! Je ne veux plus en avoir, j'ai jamais fait de mal à personne ! »

L'enregistrement s'arrête là. « Le gars » doit jubiler. Qui d'Albert ou de Liliane craquera en premier et se nouera la corde au cou ? Le pari est sadique et Jacky n'ignore pas la fragilité de sa compagne. D'ailleurs, il a noté que l'interlocuteur reste silencieux lorsque c'est lui qui décroche. Il se montre plus bavard quand c'est Liliane. Soit elle est sa victime privilégiée, soit il a peur que Jacky ne l'identifie. Peut-être se connaissent-ils assez bien.

L'aîné des Villemin presse la touche « stop ». Dans son appartement, route de Gérardmer à Granges, d'où il ne sort guère du lundi au vendredi, il se sert une autre tasse de café. Aucune hésitation en repassant le contenu de cette cassette : c'est vraiment « lui ». De son point de vue, il y a un véritable « gars » et une flopée d'imitateurs. Le premier est mauvais, méchant, prêt à toutes les bassesses. Les autres ne vont pas au-delà d'une certaine limite.

Pour preuve, ce n'est pas toujours la même voix. Liliane a cru reconnaître Albert dans le lot mais, si c'était bien lui, sans doute ne cherchait-il qu'à confondre un suspect, à vérifier une piste ou à les piéger.

Jacky se souvient aussi qu'à la fin de l'année 1982, quelqu'un avait téléphoné à ses beaux-parents pour leur annoncer que Liliane était grièvement blessée : elle s'était fracturé les deux jambes dans un accident de voiture. Le sang de Paulette Jacquel, destinataire de la commission, n'avait fait qu'un tour. Elle était en train d'enfiler son manteau pour se rendre à l'hôpital, lorsque la sonnerie avait de nouveau retenti. La même personne avait rappelé pour dire : « Ne vous dérangez pas, c'est une connerie. » Dans ce cas, il s'agissait probablement des plagiaires… Ils n'ont pas la cruauté de l'original.

Ah, si la pleine lune pouvait lui offrir le don d'ubiquité, il pourrait découvrir qui a crevé ses pneus ! Et s'il avait celui des cartomanciennes que consulte sa mère, il pourrait discerner le visage qui est au bout du fil. Mais au ciel comme ici-bas, personne ne l'aide. Jacky est tout seul.

29

La menace

23 avril 1983

« Ha, ha, ha ! »

« Il » fanfaronne. Et pour être honnête, « il » peut se le permettre. Jusqu'à présent, les plans fomentés contre lui échouent sans qu'il ait à bouger le petit doigt. Les gendarmes s'en cogneraient le képi contre les murs. Le « brigadier » Féru a mis six mois à installer, avec le concours des PTT, un mécanisme de surveillance spécial à Aumontzey. Même si l'interlocuteur interrompait la conversation, Albert ou Monique ne devaient pas raccrocher. De cette manière, on trouverait l'origine de l'appel. Peine perdue : les nouvelles sont allées trop vite et plus personne ne dérange leur domicile ou celui des autres Villemin. De même, le bruit a couru que le poste du buraliste Verdu, suspect parmi d'autres, était aussi écouté. C'était bien le cas mais ça n'a rien donné.

« Ha, ha, ha ! »

Jean-Marie n'a jamais reçu d'appel du « gars » sur son lieu de travail jusqu'à ce jour d'avril où son collègue, Poirot, vient le tirer de ses premières tâches (« Un appel pour toi… »). Il ne pense pas immédiatement à son harceleur. Il est 21 h 15, il a pointé chez Autocoussin il y a un quart d'heure à peine. Dans un bureau isolé, Poirot lui passe le combiné. Ça aurait pu être Christine. À la rigueur, il aurait pu s'agir de Monique, s'il y avait eu un message urgent à lui transmettre. Mais non, c'est cette voix rauque qu'il entend dans l'appareil.

« Les gendarmes sont pas près de guetter mon coin, je vais pouvoir continuer… », s'amuse « l'autre ».

Son collègue a refermé la porte. Jean-Marie est seul, déterminé à cuisiner son ennemi invisible.

« T'es Jacquel ?

— T'es comme ta mère… À peine tu m'as au téléphone que c'est Roger Jacquel…

— De toute façon, ça ne peut pas être un autre que Jacquel.

— Ça dépend…

— Je vais te citer quatre noms, donne-moi ta parole que tu me diras si tu es un des quatre.

— Vas-y, je te la donne.

— Les Noël. Pascal Verdu. Marcel Jacob. Roger Jacquel.

— Oui ! Il y en a un des quatre mais tu ne sauras pas qui c'est. Marcel Jacob est à éliminer. Pour la table d'écoutes chez Verdu, vous vous trompez bien, ce n'est pas lui qui vous veut du mal… Pour celle chez tes parents, je m'en fous, je peux téléphoner d'une cabine… »

Jean-Marie a glissé dans la liste le nom des Noël, une famille du coin avec qui les tensions sont fréquentes depuis son enfance : Monique s'était même battue avec leur mère, du temps où elle travaillait à l'usine.

Mais la voix rauque est toujours aussi calme, imperturbablement calme. Impossible de détecter les secondes où « il » ment et celles où « il » lâche des bribes de vérité.

« Ton père, je l'ai vu l'autre fois, le jour du pneu crevé. Je l'ai vu faire le tour de la maison avec le fusil, j'ai juste eu le temps de quitter les lieux. Je suis parti le long des parcs derrière le lampadaire et j'ai longé le chemin pour rejoindre ma voiture... »

Quatre mois après, la crevaison du pneu est donc revendiquée. Mais quatre mois, c'est long... Qui sait s'il ne s'attribue pas un trophée dont il a eu vent par la rumeur ?

« C'est pas mal chez toi, poursuit-il. Tu as de la tapisserie à carreaux dans ta cuisine... Du carrelage couleur pin dans la salle à manger en chêne. Elle est belle, tu as du goût. Elle vaut bien quatre à cinq millions...

— Tu es jaloux, mon coco.

— T'as pas peur de laisser ta femme toute seule ? Je vais monter chez toi ce soir et quand tu rentreras demain du boulot, tu verras tes petits arbres arrachés devant ta maison. Ce sera écrit "Giscard" sur ton crépi, tout autour... Et tu ne peux pas prévenir ta femme : tu ne peux pas téléphoner à l'extérieur de l'usine en dehors des heures du bureau.

— Ma parole, tu es Jacquel ! C'est ta femme qui te renseigne et tu es avec ta fille Liliane pour passer des coups de téléphone !

— Liliane m'a dit qu'elle n'osait pas aller chez les parents à Aumontzey en présence de ta femme...

199

Quand elle veut se plaindre, la Môôônique lui parle des problèmes de ta femme ou de celle de Gilbert. Elle m'a dit aussi qu'elle était gênée, parce que ta femme était toujours bien habillée, comme une pimbêche…

— Tu parles ! Christine est toujours en jean…

— En jean… Mais les plus chers ! Et quel cul… »

En fond sonore, Jean-Marie croit parfois percevoir les rires d'une femme. De temps en temps, « le gars » toussote et semble manquer de souffle.

« Tu veux vraiment me faire croire que Liliane est avec toi.

— Elle m'a dit encore : "Je ne reçois pas d'appels anonymes, mes beaux-parents vont croire que c'est moi, ils vont finir par me découvrir." Alors l'idée m'est venue de lui téléphoner… Comme je savais qu'elle enregistrait, je lui ai tout mis sur le dos…

— Tu vas finir par te faire coincer.

— Liliane voulait m'accuser. Mais toi avec tes coups de téléphone où tu changes ta voix, je t'ai reconnu… Ce n'était pas la peine d'appeler l'autre nuit à 2 heures du matin… »

Huit nuits auparavant, Jean-Marie avait composé le numéro de Roger Jacquel. Il avait tenté de prendre « la voix rauque » mais l'imitation n'était pas des plus réussies. Il feint l'innocence à moitié : « C'est pas moi, tu te trompes. Mais c'est un secret pour personne qu'avec la famille, on fait des essais pour reconnaître ta voix.

— Il n'y a que toi qui es capable d'avoir crevé les pneus de Jacky… Tu ne peux pas la blairer, la Liliane…. Pourtant, elle est journaliste alors que ta femme est couturière.

— Elle n'est pas journaliste ! Sinon pourquoi elle fait encore de la couture à domicile ? »

L'homme ne répond aux questions que de manière aléatoire. Comme s'il suivait son propre fil. Il distille encore quelques indices, malicieux, toujours dans la même direction :

« Je vous ai vus samedi dernier, devant la boucherie Mourot, avec ta femme et la R20 toute neuve. Vous aviez des lunettes de soleil. »

Un rapide retour en arrière. Ce samedi-là, Jean-Marie et Christine roulaient à bord de leur nouvelle voiture. En passant devant l'église de Granges, un attroupement de motards avait attiré leur regard. C'était jour de mariage. Ils s'étaient arrêtés devant une boucherie mais il ignorait le nom de cette enseigne. Il faut y acheter de la viande pour la connaître, être du coin. Les images de la petite foule lui reviennent en mémoire. Un visage, presque subliminal, lui apparaît soudain. Au milieu des motards, il y avait une femme qui prenait des photos, probablement pour le journal local : Liliane.

« J'ai vu ta mère aussi, à Granges, avec Albert. Ils m'ont dit bonjour. Je me suis dit : "Sacrée bande de cons !"

— Ils étaient où ?

— Moi j'étais devant le café de chez Lenard... »

Le père de famille est aussi obsédé par l'identité de son persécuteur que par ses motivations.

« Pourquoi tu m'en veux ? Et pourquoi pas à Gilbert ?

— Je voulais lui crever les pneus mais il n'a qu'une vieille bagnole, souvent en panne. Et il a pas une belle baraque, lui !

201

« — Et Michel ? Il a une belle baraque, lui…

— Si je vais chez lui et que je m'approche de sa baraque, il y a le cabot qui gueule. Et son père à côté en train de guetter…

— Ça m'étonnerait, ils se parlent plus.

— Ah si ! Ils se sont réconciliés…

— Ah bon ? Eh bien, tu me l'apprends… »

C'est dingue comme ce type est bien renseigné. Même Jean-Marie ignorait cette dernière péripétie familiale. Soudain, l'inconnu menace :

« Ta femme, je l'aurai… Heureusement qu'elle n'a pas marché dans le coup du faux accident. On l'attendait à la sortie de Deycimont… »

Au mois de janvier, la voix féminine avait réveillé Christine en se faisant passer pour une infirmière de l'hôpital. Elle lui annonçait que son époux avait eu un accident de voiture et qu'il était grièvement blessé. Christine avait gardé la tête froide et compris qu'il s'agissait d'un traquenard.

« Qu'est-ce que tu lui aurais fait ? demande Jean-Marie. Tu me parais bien poussif…

— On l'aurait violée… Moi, je me serais contenté de la tenir. Le jeune qui est avec moi aurait fait le boulot… »

Jean-Marie ne se laisse pas intimider et joue la carte de la bravade à son tour. « Je m'en fous. J'ai de l'argent, j'aurai une autre minette.

— Espèce de salaud. Je le dirai à ta femme, ça va pas lui faire plaisir… De toute façon, je te mettrai une balle entre les épaules, et si je te loupe, je viendrai t'apporter des oranges à l'hôpital… »

Le jeune homme s'étonne de la confiance inébranlable du « gars », si certain de ne pas être confondu. Il ne figure peut-être même pas dans la liste établie.

202

« Oh pis non, ajoute la voix rauque. Je m'en prendrai à ton mioche, ça te fera plus mal. Ne le laisse pas traîner, je le surveille avec des jumelles. Si je le trouve dehors, je l'embarque et tu le retrouveras "stangnié" en bas dans la Vologne. »

La main de Jean-Marie se crispe sur l'appareil. Plus question de faire semblant : « Espèce de fumier ! Ne touche pas à mon gamin, autrement tu es un homme mort ! On peut s'expliquer entre quat'z-yeux.

— Ha, ha ! Ce serait trop beau pour toi. Tu saurais trop vite qui je suis. Et puis tu es trop balaise et tu fais du ju-jitsu… Mais chez toi, j'y vais comme je veux.

— Pourquoi tu t'en prends qu'à moi ?

— Je peux pas blairer les chefs… T'es plein de pognon. Jacky gagne dans les sept mille francs et toi un million par mois… C'est toi qui touches le plus dans la famille.

— N'importe quoi !

— T'es quand même chef. Tu es dans l'équipe à Henry et Thomas.

— "T'es chef, t'es chef"… Ça veut dire quoi ?

— Tu as plein de fric.

— C'est toi qui le dis. J'ai des crédits pour la maison et les voitures.

— Oui ! Mais il faut du fric pour payer les crédits… »

Une autre idée traverse l'esprit de Jean-Marie. Si l'autre cite spontanément des noms de responsables chez Autocoussin, c'est qu'il a pu faire partie de l'effectif. Comme Roger Jacquel, par exemple, il y a quelques années. Et son épouse, Paulette, y est encore salariée. Jean-Marie la trouve bizarre, d'ailleurs. Une fois, elle lui a tiré la langue en plein travail.

« Tu vois, le chef, que tu n'as rien à faire. Ça fait quarante minutes que tu es au téléphone... J'arrête. J'en ai ras le bol d'entendre Jacky et Liliane se plaindre, c'est pour ça que je me suis décidé à vous en faire voir. J'arrête de téléphoner, pas comme la dernière fois, parole d'homme... Maintenant je vais faire des vacheries... »

Fin du long échange. Aussitôt le combiné reposé, Jean-Marie se précipite auprès de son collègue, Poirot : « Il vaut mieux que je parte... Ils vont emmerder ma femme. » Le contremaître quitte l'usine, prend le volant et fonce au chalet. Il tambourine à la porte : « Christine, ouvre ! C'est moi ! » Son épouse, surprise, apparaît sur le seuil. Personne ne l'a dérangée, elle n'a reçu aucune communication. La jeune femme essaie de l'apaiser : « Tu vois bien que c'est pas sérieux... » « Le gars » doit bluffer, pense-t-elle. Dans le doute, Jean-Marie sort la carabine du placard et entame une ronde. Mais le voisinage est endormi, il n'y a rien à signaler. Après quelques pas dans la nuit, il se décide à rentrer au bercail, ferme la porte à clé, abaisse les volets. Puis guette, le doigt sur la gâchette. Dans l'obscurité, il est encore sous le choc. « Il » a osé menacer son fils. « Il » a franchi la limite.

30

L'homme en uniforme

24 avril 1983

Jean-Marie n'a presque pas fermé l'œil de la nuit. Toutes les idées ont tournoyé dans sa tête. Ce matin, il s'est assis dans le salon, a pris un crayon et griffonné sur une feuille tout ce que « le gars » lui a dit, en tout cas tout ce dont il se souvient. Sans magnétophone branché à l'usine, il a dû fouiller dans sa mémoire.

Le jour est levé, Christine est partie travailler et Grégory se trouve chez sa nourrice. Le père de famille glisse le nez dehors et se hasarde autour des maisons voisines. Mme Méline est en train de vaquer à ses occupations printanières dans son jardin. Il s'approche et la salue : « Madame Méline… Vous n'auriez pas vu quelque chose de bizarre hier soir ? » La retraitée connaît, dans les grandes lignes, l'ampleur de ses problèmes. Sitôt la question posée, son regard s'anime d'une flamme vive. « Si, si ! J'ai vu quelqu'un hier… »

Les yeux de Jean-Marie s'écarquillent par effet miroir.

« Ah bon ? Il ressemblait à quoi ?

— C'était un type en uniforme. Il m'a demandé si je n'avais pas peur ici dans cet endroit isolé…

— Ah bon ?

— Je lui ai répondu que non.

— D'accord. Mais c'était quoi comme uniforme ?

— Je sais pas bien. Peut-être un flic ou un garde forestier…

— Il avait une arme ?

— Non, il en avait pas.

— Ah… Mais il ressemblait à quoi ?

— Oh, je sais pas, il devait avoir entre 45 et 50 ans…

— Et c'est tout ? Il faisait quoi ?

— Il regardait là, devant nos fenêtres. Moi, je suis même pas sortie de chez moi. On en est restés là. »

Pensif, Jean-Marie regagne son domicile. Toutes les étrangetés méritent d'être considérées. Comme chaque fois que « le gars » ébranle sa tranquillité, il saisit son téléphone et compose le numéro de sa mère. À force, les factures des PTT finissent par enfler. D'autant que Lépanges et Aumontzey ne sont pas dans la même zone de tarification.

La sonnerie surprend Albert et Monique, eux-mêmes en pleine audition d'une de leurs cassettes. Ils tentent encore d'identifier la voix rauque. Déjà plongée dans l'ambiance, Monique tressaille en découvrant les menaces formulées contre Grégory.

« Nom d'un fumier ! T'as pas reconnu la voix ? Il la masquait ?

— Non, et pourtant il m'a parlé pendant une demi-heure…

— Faites attention ! Signale-le aux gendarmes. Fais questionner Jacky… Tant pis, qu'est-ce que tu veux… »

Les nerfs en pelote, au bord des larmes, Albert tient l'écouteur collé à son oreille et commente à sa façon : « Bande d'enculés, va ! »

Monique livre son interprétation : « Tu comprends, "le gars" est jaloux parce que t'es toujours avec nous, on sort ensemble, tout ça… D'puis l'temps qu't'es marié, qu't'as monté une maison, qu't'es passé au-dessus… "Il" en a mal à la panse ! »

Jean-Marie approuve et expose sa théorie :

« Jacky et Liliane sont peut-être des complices involontaires. Si c'est son père, elle doit se confier à lui comme je me confie à vous.

— Oui, et "ils" n'ont qu'à profiter de la situation, ajoute Monique en pensant au "gars", et à la fille qui semble le seconder.

— Maquereau ! jure encore Albert.

— Ah tiens, y a autre chose…, poursuit Jean-Marie. Il m'a dit qu'il vous avait vus à Granges et qu'il vous avait dit bonjour.

— Où ça ?

— À côté du café Lenard. »

Les parents Villemin puisent dans leurs souvenirs pour revivre la scène.

« J'étais passée à la banque…, se remémore Monique. Y avait quatre bonhommes assis devant chez Lénard.

— Qui c'était ?

— J'ai pas fait gaffe… C'était quatre jeunes.

— C'était quand ?

— Y a quinze jours, à peu près.

207

— Vous vous seriez dit bonjour ?

— Je vois pas qui ça peut être…

— Peut-être que "le gars" fait partie de cette bande, avec sa bonne femme. C'est peut-être pas Roger Jacquel, mais lui, il est dans le bain. C'est sûr ! Et Jacky et Liliane y sont aussi, sans le vouloir.

— Oui, y a le père Jacquel. Mais il y a un autre couple en dessous… »

Chacun s'accorde sur cette hypothèse. Et sur l'omniscience de leur inquisiteur.

« Il m'a aussi causé de Michel et m'a dit qu'il s'était réconcilié avec papa, relève Jean-Marie.

— Ah, le fumier ! Y voit tout, hein ! peste Monique. Il nous surveille. »

Jean-Marie en est persuadé : « il » a toujours un œil sinon une oreille tendue dans leur direction. Il n'a pas osé le rapporter à sa mère mais il a retenu un détail un peu embarrassant dans la logorrhée téléphonique de la veille. « Le gars » sait qui a esquinté la voiture de Jacky. Il ne pouvait pas s'attribuer ce forfait, même par opportunisme, pour une bonne raison : celui qui a commis le vandalisme, c'est Jean-Marie. Le fils Villemin était si convaincu de l'implication de Liliane qu'il avait cédé à cette tentation, un soir. Il avait percé les deux pneumatiques, sous la pleine lune. C'est bien connu : la nuit, tous les chats sont gris.

SI VOUS VOULER

QUE JE M'ARRETE

JE VOUS PROPOSE UNE
SOLUTION.
VOUS NE DEVER PLUS
FREQUENTER LE CHEF,
VOUS DEVER LE CONSIDERÉ
LUI AUSSI COMME UN
BATARD, LE METTRE
ENTIEREMENT DE COTE, PAR
VOUS ET SES FRERES
ET SOEUR.
SI VOUS NE LE FAITE
PAS, J'EXECUTERAI,
MES MENACES QUE J'AI
FAIT AU CHEF POUR LUI
ET SA PETITE FAMILLE
JACKY ET SA PETITE FAMILLE,
A ETC ASSEZ MIS DE COTÉ.

↳

AUTOUR DU CHEF D'ETRE
CONSIDERER COMME UN
BATARD.
IL SE CONSOLERA
AVEC SON ARGENT.

A VOUS DE
CHOISIR.

LA VIE OU LA

MORT.

31
Mauvaise soirée

27 avril 1983

« Si vous vouler que je m'arrête, je vous propose une solution – vous ne dever plus fréquenter le chef, vous dever le considéré lui aussi comme un bâtard, le mettre entièrement de côté, par vous et ses frères et sœur. Si vous ne le faite pas, j'exécuterai mes menaces que j'ai fait au chef pour lui et sa petite famille. Jacky et sa petite famille a été assez mis de côté – autour du chef d'être considérer comme un bâtard. Il se consolera avec son argent. À vous de choisir. La vie ou la mort. »

Albert et Monique ont trouvé ces lignes dans leur boîte aux lettres. Le cachet sur l'enveloppe indique qu'il a été tamponné la veille, à Bruyères. C'est la première menace écrite qui leur est destinée. Depuis que la matriarche Villemin a révélé la mise sur écoutes de plusieurs postes téléphoniques, ils ne reçoivent plus d'appels du « gars ». Ils n'entendent plus ses râles ni ses sarcasmes. Le harcèlement devient épistolaire.

Chez Jean-Marie et Christine, « il » s'était risqué à déposer lui-même le papier entre les volets. Mais dans leur cas, à cause du « cabot » de Michel prêt à aboyer à côté, il a renoncé à une telle audace et il s'est contenté de l'expédier par la poste. Allez savoir s'il travaille à Bruyères, s'il s'y est juste rendu pour brouiller les pistes ou s'il habite ailleurs : tout le courrier de l'arrondissement est tamponné au même bureau.

Albert et Monique déchiffrent l'écriture bâton, malgré les nombreuses fautes d'orthographe. Le document va circuler dans la famille et susciter diverses observations. La rudesse du trait renforce la violence du ton. L'auteur a souligné certains mots, comme pour insister sur ses obsessions : « chef », « bâtard », « famille », « argent » et « mort ». Grégory n'est pas cité mais l'allusion à l'appel téléphonique précédent est suffisamment claire.

Un détail sur l'enveloppe interpelle les Villemin : l'adresse renseignée par l'expéditeur mentionne la « route de Frambéménil » alors que le nom officiel de la voie est « chemin rural ». Ce sont les gens d'Aumontzey qui utilisent cette appellation, entrée dans leur langage courant. Sans doute un signe supplémentaire indiquant que c'est un « gars » d'ici. Par ailleurs, l'écriture semble identique à celle de la lettre glissée dans les volets à Lépanges. Deux menaces, un seul auteur.

Albert et Monique plient mais ne rompent pas : ils n'ont pas l'intention de couper les ponts avec leur fils Jean-Marie, ni de se montrer plus discrets dans leurs relations. Le soutien du maître-chanteur à Jacky a beau être grossier – et un peu tardif si l'on fait l'inventaire de ses manifestations depuis deux ans –, il les conforte dans leurs théories : tous cogitent sur la même équation. Jacquel moins Jacky égale elle. C'est-à-dire Liliane. Ces trois-là ne seront pas informés de l'existence de cette lettre.

Quelques jours passent, jusqu'au matin du 10 mai. Il est à peu près 10 heures, Albert s'éreinte en salle de battage à la filature d'Aumontzey quand son chef vient l'interrompre. « Un appel pour toi… C'est ta fille. » En suivant son supérieur en direction de son bureau, il devine déjà la suite. Non seulement Jacqueline ne lui téléphone jamais à l'usine, mais en prime, à l'heure qu'il est, elle doit être au travail.

Albert pose le combiné sur son oreille : sans surprise, ce n'est pas sa fille mais la voix rauque qui gronde au bout du fil. « Tu te pendras ou tu te pendras pas mais tu seras obligé de te pendre… » Le timbre est grave, la diction lente et chaque syllabe semble martelée. Le quinquagénaire tend l'appareil à son chef d'un air blasé : « C'est une drôle de fille, non ? » Mais le surveillant n'a même pas le temps d'écouter. « Il » a déjà raccroché, sans attendre qu'Albert articule la moindre voyelle. Moins de dix secondes se sont écoulées.

Cette fois, le père Villemin se résout à causer avec Jacky. Deux ou trois jours plus tard, « le grand » et son épouse font une halte à Aumontzey, en compagnie de leur fils Éric. Tandis que Liliane s'affaire dans la cuisine, Albert prend Jacky par le bras et s'isole avec lui dans une pièce de la maison. Les yeux dans les yeux, il lui relate le bref appel reçu à l'usine. Jacky nie toute responsabilité, à nouveau. Lorsque Liliane les rejoint et se mêle à leurs explications, on ignore ce qui se dit. Mais un témoin, Jacqueline, aperçoit peu après sa belle-sœur sortir précipitamment en pleurant, et s'enfuir de la maison. Dans le salon, Éric regarde avec tristesse sa mère s'esquiver. « Elle va encore se faire du mal… », lâche-t-il. L'atmosphère s'alourdit de plus en plus et une partie de la famille ne prend même plus la peine de dissimuler ses soupçons.

Jacky se désole de la situation. Aussi décide-t-il de tenter une opération de pacification pour retisser les liens et éliminer les doutes à leur égard. Le 14 mai, les Villemin sont conviés chez lui à Granges pour une soirée choucroute, comme on aime en organiser dans la région. Seuls Michel et Ginette déclinent l'invitation et boudent dans leur coin. Mais Jacky est maudit : son initiative pleine de bonne volonté vire au cauchemar et se retourne contre lui.

Ce soir-là, il faut prendre place dans la voiture de Jean-Marie, en route vers le rendez-vous, pour pressentir le mauvais vent qui s'apprête à souffler. Assis sur le siège passager, Albert ronchonne : « J'espère qu'elle aura pas mis de poison dans sa choucroute… » Jean-Marie plaide l'accalmie : « On est là pour se réconcilier, il faut pas repartir dans cet état d'esprit ! » Mais en son for intérieur, les présomptions demeurent. Bien qu'il veuille éviter le conflit, il compte faire de ce dîner un moment d'observation. « Tu feras gaffe à sa façon de réagir », glisse-t-il à son père. Des fois que Liliane se trahirait…

Dès qu'ils arrivent au domicile de leur hôte, le ton est donné. Jacky se démène pour faire comme si de rien n'était, mais Liliane est tendue, stressée. Gilbert rapplique avec son épouse Marie-Christine, Jacqueline avec son mari Nonoche. Pour accompagner la choucroute, on a sorti des verres et quelques bouteilles.

Albert boit un peu mais ne se saoule pas, pour rester alerte et vigilant.

L'heure des cadeaux sonne. Pour mieux enterrer la hache de guerre, chacun a apporté un présent. Mais à l'instant où les rubans sont défaits, un bruit éveille soudain la curiosité d'Albert. Dehors, un Klaxon retentit. Se fiant à ses bonnes connaissances automobiles, il est certain de reconnaître la marque du véhicule : c'est un avertisseur de Renault. Une Renault, encore... Comme en décembre dernier. Comme à l'automne d'avant. Comme cette Renault 12 qu'il avait repérée aux abords de sa maison. « C'est pas possible, on nous surveille... », s'agite-t-il, en pleine panique. Il se précipite à la fenêtre mais la rue est déserte. Les autres ne relèvent pas.

L'assistance regagne la table. Liliane en est réduite à passer les plats. Trop crispée, elle a perdu l'appétit et ne touche pas à son assiette. Elle n'est pas la seule cependant : l'épouse de Gilbert, dont la santé est fragile, entame à peine sa choucroute.

Jacky a rempli son verre parce qu'il était euphorique. Il le vide parce qu'il est dépité. Il se rend bien compte que son entreprise prend l'eau, peu à peu. Alors, il boit. Beaucoup. L'alcool le détend et ses frères le suivent : les rires égaient enfin la sauterie, on plaisante sur Jean-Marie qui fait du culturisme, on le surnomme « le balaise » et on surenchérit. Jacky attaque la bouteille de whisky mais Liliane estime que ça commence à faire beaucoup. Elle lui retient le bras. Hilare, Gilbert encourage son frangin et contredit sa belle-sœur : « Allez, c'est bon, laisse-le profiter de la soirée ! » Il en profite. À tel point qu'il finit par tomber de sa chaise, trop imbibé. Liliane s'affole et l'aide à se relever. C'est à cet instant précis que l'ambiance dévisse. « T'en fais pas, va… Y a d'pot que pour la crapule », persifle Albert. Immédiatement, tout le monde comprend l'insinuation. D'ailleurs, « le gars » lui-même avait employé le terme « crapule » dans l'un de ses appels. Liliane se fige. Monique reste impassible. Jean-Marie tente de dévier la conversation pour éviter le malaise. Mais son père ne s'arrête plus. À la moindre occasion, il repique avec de moins en moins de finesse : « Je vais vraiment me pendre… Hein, Liliane ? » Albert ne la quitte pas des yeux. Oppressée, elle se lève de table, sans parvenir à retenir ses larmes, et se retranche dans la cuisine.

La soirée est fichue. Bientôt, on débarrasse les assiettes et on s'apprête à partir. Avant d'enfiler sa veste, Jean-Marie s'infiltre dans la pièce d'à côté et découvre sa belle-sœur effondrée. Comme il est ivre et qu'il a horreur de voir les gens pleurer, il ne peut s'empêcher de la prendre dans ses bras. La petite fête n'a pas suffi à balayer ses hypothèses. Mais dans ce moment de faiblesse, il s'assagit. Et verse à son tour une larme, après tant de tensions accumulées. « T'en fais pas… On finira par l'avoir, ce salopard. On est sur la bonne voie…

— Je te jure, Jean-Marie, c'est pas moi, j'y suis pour rien », sanglote Liliane.

Dehors, les convives se dispersent. Plusieurs distinguent les yeux rougis de Jean-Marie. « Le balaise » a craqué. Le logis retrouve son calme. Aucune Renault 12 ne rôde aux alentours. Rien à signaler.

Rien ou presque. En face de la maison, deux yeux brillent dans l'obscurité. Caché derrière un tas de bois, un invité surprise épie le déroulement de la soirée. Il ne fait pas un bruit. Depuis quatre heures, l'homme se tient prêt, une arme accrochée à la ceinture.

32

Le point de non-retour

Juin 1983

Le brigadier Féru n'a rien vu de louche pendant la soirée choucroute. Dissimulé en face de la maison, à la demande de Liliane, il n'a repéré aucune voiture suspecte, aucune autre présence que son ombre projetée par les reflets de la lune.

De plus en plus sollicité par les Villemin, il ne parvient pas à défaire le nœud de l'intrigue ni à démasquer les agents doubles dans cette version téléphonique des *Dix petits nègres*.

« On a eu une idée, lui glisse un jour Jean-Marie, en lui rendant visite à la gendarmerie. On va essayer de monter un piège… » Féru écoute le stratagème, qui bénéficie de la complicité inattendue de Jacky et Liliane, redevenus leurs amis en apparence.

Tout est parti du témoignage de Mme Méline, la voisine de Lépanges, qui aurait surpris un homme en uniforme en train de rôder.

« Des gars en uniforme, j'en connais que deux…, a réfléchi Liliane. Mon père ou André Jacob. »

217

Soit deux pompiers volontaires. Bien qu'il nourrisse de lourds soupçons à l'égard du premier, Jean-Marie n'a pas voulu délaisser le second. Pourtant, il affectionne son oncle André Jacob, l'un des frères de Monique. Plus jeune, quand il avait travaillé l'été dans une scierie, André lui avait prêté un bout de terrain pour qu'il puisse y planter sa tente à la nuit tombée. Bien sûr, à force de remâcher, on finit toujours par flairer un détail qui cloche et même lui, désorienté par la paranoïa ambiante, se mettrait à douter des personnes qu'il apprécie. C'est vrai, l'oncle est un peu original. D'abord, c'est le seul homme de droite dans cette grande famille de gauche. Et puis il a une santé fragile puisqu'il est sujet aux crises de nerfs. Enfin, il est souvent fourré chez Albert et Monique, poste idéal pour pêcher des informations dont il pourrait ensuite se servir en prenant une voix rauque. Alors pourquoi ne pas creuser de ce côté-là ?

Un autre fait déconcertant vient se greffer sur le faisceau des charges. Monique a encore rencontré une voyante pour qu'elle lui révèle l'identité de l'empêcheur de tourner en rond. La voyante a discerné dans ses cartes un homme en uniforme – décidément – et ajouté qu'il exerce peut-être la profession de représentant. André Jacob a fait mille métiers, dont celui de représentant. La coïncidence est trop tentante.

Plus terre à terre que sa mère, Jean-Marie n'a pas fait appel aux services d'un médium mais d'un détective privé dont il a trouvé le numéro dans le bottin, un certain Gorce. C'est lui qui souffle l'idée de présenter des photos de « suspects » à Mme Méline, une sorte de tapissage artisanal.

Motivée par cette nouvelle spéculation, Liliane use de son statut de correspondante de presse pour se faufiler à la mairie de Granges et récupérer un cliché des pompiers de la commune, parmi lesquels se trouve l'oncle « bizarre ».

Jean-Marie et le détective se rendent chez la voisine pour lui montrer deux portraits : l'un d'André Jacob, l'autre de Roger Jacquel. « Est-ce que l'homme en uniforme est l'un de ces deux-là ? » lui demandent-ils. La retraitée regarde avec application les deux images. Elle hésite puis désigne timidement le père Jacquel : « Il ressemblait plutôt à celui-ci mais en plus gros. » L'essai n'est pas concluant. Jean-Marie remballe les photos et remercie dans un même élan l'enquêteur privé dont les tarifs lui apparaissent trop chers pour un tel résultat.

Qu'importe : les deux couples, alliés de circonstance, s'entêtent. « On va lancer une fausse rumeur auprès d'André Jacob et on va voir si "le gars" tombe dans le panneau en la répétant… », exposent-ils au brigadier Féru qui ne les décourage pas.

On ne saura jamais si le plan aurait pu fonctionner : bientôt, un grain de sable enraie la machine, réduisant à néant les tentatives de rabibochage de Jacky et Jean-Marie. Une nouvelle lettre parvient au domicile d'Albert et Monique.

je vois que rien à changer chez vous
il n'y en a toujours que pour les mêmes
et le chef vient toujours
vous pouvez montrer l'autre lettre et
celle-là à jacky car j'arrête.
il est toujours mis de côté, cela ne
sert à rien que je les défende.
il n'y a que votre ~~salope~~ de fille et
son ~~vieux~~ qui ont le droit de salir
vos ~~assiettes~~ le dimanche.
il n'y en a que pour le gendre, il
compte plus que vos fils, surtout
pour toi, la vieille c'est ton
« NONOCHE » et il se permet tout à
~~avortzey~~
et le petit con de granges, il n'est
pas une journée sans descendre chez
vous et il faut toujours qu'il mette son
grain de sel partant quand il devrait
fermer sa ~~grande gueule~~ mais pas ~~dffé~~
et sa connasse de gonzesse, elle fait
toujours la grande malade avec sa

...lle gueule de cochon ((le CINÉMA))
autour du chef, du balaise, il
peut arrêter de chier dans son slip,
je ne veux pas lui faire de bobo au
balaise de maman ni à sa pimbêche
de gonzesse ni à son mioche.
jacky ne sera pas mieux estimer
pour ça et il sera toujours
considérer comme un bâtard, le
pauvre mec —
ah! toi le vieux, tu en as pris
un coup de vieux, tu m'as l'air
bien malade,
eh oui le vieux, j'arrête et tu ne
sauras jamais qui t'as fais chié
pendant deux ans.
je me suis vengé car je vois que tu
te ruines, tu ne te pendras peut
être pas mais je m'en fou car ma
vengence est faite —
je te hais au point d'aller cracher
sur ta tombe, le jour ou tu crèveras

Jacky m'est peut être pas plus estimer mais je m'en fou je me suis venger.

ceci est ma dernière lettre et vous n'aurez plus aucune nouvelle de moi. vous vous demanderez qui j'étais mais vous ne trouverez jamai que le tout fou d'ôté droite de Lumen car il prend un coup de poing dans la gueule et il se sauve

ADIEU MES CHERS
CONS..

« Je vois que rien à changer chez vous, il n'y en a toujour que pour les mêmes, et le chef vient toujour. Vous pouvez montrer l'autre lettre et celle-là à Jacky car j'arrête. Il est toujour mis de côté, cela ne serre à rien que je les défende. Il n'y a que votre salope de fille et son vieux qui ont le droit de salir vos assiettes le dimanche. Il n'y en a que pour le gendre, il compte plus que vos fils, surtout pour toi la vieille c'est ton "Nonoche" et il se permet tout à Aumontzey. Et le petit con de Granges, il n'est pas une journée sans descendre chez vous et il faut toujour qu'il mette son grin de sel partout quand il devrait fermer sa grande gueule, mais pas d'éffé et sa conasse de gonzesse, elle fait toujour la grande malade avec sa salle gueule de cochon (le cinéma). Autour du chef, du balaise, il peut arrêter de chier dans son slipp, je ne veux pas lui faire de bobo au balaise de maman ni à sa pimbêche de gonzesse ni à son mioche. Jacky ne serai pas mieu estimer pour ça, et il sera toujour considerer comme un bâtard, le pauvre mec. Eh ! toi le vieux, tu en as prix un coup de vieux, tu m'as l'air bien malade. Eh oui le vieux, j'arrête et tu ne sauras jamai qui t'as fais chié pendant deux ans. Je me suis vengé car je vois que tu te rumines, tu ne te penderas peut être pas mais je m'en fou car ma vangence est faite. Je te hais au point d'aller cracher sur ta tombe le jour ou tu crève-ras. Jacky n'est peut être pas plus estimer mais je m'en fou je me suis venger. Ceci est ma dernière lettre et vous n'aurez plus aucune nouvelle de moi. Vous vous demanderez qui j'étais mais vous ne trouverez jamais. Que le tout fou d'à côté arrête de frimer car il prend un coup de poing dans la gueule et il se sauve. Adieu mes chers cons. »

Cette fois-ci, il ne s'agit plus de lettres bâtons mais d'une écriture cursive. Des fautes d'orthographe parsèment encore la prose hargneuse et des mots sont soulignés, sans que l'on puisse comprendre cette insistance. Les Villemin décortiquent la moindre expression, traquent le moindre indice échappé au détour d'une virgule. Comme pour la précédente lettre, Jacky et Liliane sont privés de lecture. « Le gars » est d'ailleurs au courant de cette confidentialité puisqu'il précise : « Vous pouvez montrer l'autre lettre et celle-là à Jacky. » Très vite, une conviction gagne tous les foyers : celui (ou celle) qui a commis cette missive fait référence à la soirée choucroute. Soit il était présent, soit il s'est fait conter le déroulement de la fête.

La « salope de fille » désigne ainsi Jacqueline. N'est-ce pas parce qu'elle portait une minijupe et des collants roses ce soir-là ?

Le « petit con de Granges » qui met « son grain de sel partout » renvoie à Gilbert : il s'est opposé à Liliane lorsqu'elle a tenté de ralentir la consommation d'alcool de son époux.

« La grande malade » à la « gueule de cochon » pourrait bien injurier l'épouse de Gilbert qui a souvent une petite santé et qui n'avait pas beaucoup d'appétit au dîner.

Pour le « balaise » qui chie « dans son slip », on pense à Jean-Marie, affublé de ce surnom pendant toute la durée du repas et qui, vers 2 heures du matin, a fini en larmes avec Liliane. « Sa pimbêche de gonzesse » est une insulte pour Christine.

Même Michel en prend pour son grade, bien qu'il ait décliné l'invitation. Mais l'auteur l'a ajouté à la toute fin de sa lettre, comme s'il l'avait oublié, en repensant à la bagarre qui l'avait opposé à Jacky, fin 1981 : « le tout fou » qui prend un « poing dans la gueule » et qui « se sauve »…

À vrai dire, seules deux personnes échappent à cette vindicte : Ginette, mais elle n'était pas présente à table. Et… Liliane. Comme par hasard.

Tout est affaire de perception. Des années plus tard, sortis de la panique et en relisant plus attentivement ces quelques lignes, les Villemin s'apercevront qu'aucun détail de la soirée n'avait vraiment été mentionné. Après tout, il y avait bien eu d'autres occasions de qualifier Jean-Marie de balaise ou l'épouse de Gilbert de grande malade. Et pas un mot sur la jupe et les collants roses de Jacqueline. Mais sur le moment, le parallèle paraissait limpide. Et l'étau semblait se resserrer encore sur Jacky et Liliane.

C'est à cette période que les gendarmes de Corcieux reçoivent un appel mystérieux. Une voix de femme accuse André Jacob d'être « le gars » qui passe des coups de téléphone anonymes. L'officier qui répond a la vague impression de reconnaître « la journaliste », ainsi qu'ils la surnomment, c'est-à-dire Liliane. Le prétexte est suffisant pour convoquer son couple à la brigade et les cuisiner un peu. Comme ils le font toujours, Jacky et son épouse nient être les chefs d'orchestre de cette tragi-comédie. Croyant sortir une carte de sa manche, Féru leur laisse entendre qu'ils sont les suspects privilégiés de Jean-Marie. Ils semblent alors tomber des nues : ils étaient persuadés d'avoir ressoudé les liens sur le dos d'André Jacob. La surprise laisse place à la colère. En sortant des locaux de Corcieux, Liliane conduit pied au plancher leur voiture jusqu'à Lépanges pour solder les comptes. Ils sonnent à la porte. L'ambiance est glaciale et le prétexte futile : « Vous pourriez nous rendre la photo d'André Jacob ? » demandent-ils. Jean-Marie et Christine les invitent dans la cuisine. Les politesses de départ s'évanouissent. « Vous nous soupçonnez encore, s'énerve Jacky. À cause de vous, on a failli finir en garde à vue ! Tu nous as trahis ! » Plutôt que de nier la vérité, le père de Grégory va droit au but : « Et qui ça peut être alors, si c'est pas vous ? On a fait la soirée choucroute et trois jours après on reçoit la lettre ? Ça ne peut être que vous !

— Quelle lettre ? » questionne son frère, incrédule.

Jean-Marie brandit alors une photocopie de la lettre anonyme expédiée chez ses parents. Les deux visiteurs en prennent connaissance. Il ne quitte pas des yeux Liliane, qui parcourt la page si rapidement qu'elle semble en connaître déjà le contenu. Du moins s'enferre-t-il dans cette certitude.

« On n'a rien à voir là-dedans, poursuit Jacky, hors de lui. Tu joues un double jeu ! À la choucroute, tu as fait comme si tu ne nous soupçonnais plus alors que tu nous soupçonnais encore ! »

Les esprits s'échauffent mais le dialogue tourne en rond. Jean-Marie désigne le carreau de sa porte d'entrée : « Et ça ? Qui l'a cassé ? Je suis sûr que c'est toi ! » Jacky en reste sans voix et préfère remonter à bord de la voiture, côté passager, pendant que Liliane met le contact. Par la fenêtre, il hurle : « Raclure ! T'es bien comme le père Villemin ! » Les nerfs à vif, l'offensé se précipite dans sa direction : « Viens ici ! On va s'expliquer, je vais te casser la gueule ! » Mais le couple honni démarre en trombe.

La rupture est consommée. Jean-Marie et Christine prennent ensuite la route d'Aumontzey. À peine sont-ils arrivés chez Albert et Monique que Jacky surgit dans le couloir sans avoir sonné. Deuxième service. « Vous êtes tous des raclures, les Villemin ! De la merde ! » hurle-t-il sous le regard de ses parents, de Michel et de Ginette. D'abord verbale, l'altercation se poursuit et dégénère devant la maison. « Les Jacob-Villemin, je ne veux plus en voir ! S'ils viennent chez moi, je les bute ! » Subitement, ses mains attrapent Monique et la secouent : « Je commencerai par toi, la mère ! » Le geste de trop pour Jean-Marie, qui se rue sur lui et le saisit au collet. Les injures pleuvent. « Profites-en, Michel ! crie-t-il en direction de son frère. Rends-lui le coup qu'il t'a donné à la sortie de l'usine ! » Mais Michel préfère battre en retraite. Monique tente de s'interposer. Jacky lève la main sur elle, menaçant, les yeux injectés de sang. Plus loin, Albert s'égosille mais ne bouge pas. « Je suis fier de ne pas être un Villemin ! » éructe Jacky avant de tourner les talons. Monique fond en larmes. C'est la dernière fois que Jacky verra ses frères, en dehors de l'usine. La dernière fois avant le drame.

33

Derniers signes

1983-1984

Le téléphone a cessé de sonner. Les boîtes aux lettres sont restées vides. Il ne s'est presque plus rien passé. Après l'empoignade entre Jean-Marie et son aîné, « le gars » a disparu.

Pour Jacky, c'est bien la preuve que, sous prétexte de vouloir le défendre, l'inconnu voulait au contraire l'enfoncer, l'éloigner de ses proches et faire accuser à tort sa compagne.

À l'inverse, ceux qui étaient persuadés de son implication ont évidemment trouvé dans cette concordance une nouvelle preuve de leur conviction. Ainsi, la dispute aurait servi à les démasquer.

Il reste qu'au-delà des certitudes des uns et des autres, « le gars » a surtout tenu sa parole, celle qu'il avait couchée sur le papier de sa dernière lettre : il a « arrêté de les faire chier ».

La vie continue, donc. Certes, elle ne s'était pas arrêtée, parce que personne ne voulait se cloîtrer ni changer ses habitudes, si ancrées. Mais elle retrouve progressivement son cours normal. Les discussions lors des déjeuners du dimanche, dans la maison d'Aumontzey, ou bien tenues dans les vestiaires de la filature, tournent de moins en moins autour des appels anonymes. Albert n'ausculte plus les rétroviseurs accrochés aux poteaux à linge de son jardin. Et Jean-Marie délaisse la surveillance nocturne du foyer.

En septembre, Grégory fait sa première rentrée à l'école de Lépanges. Comme s'il n'y avait jamais eu de menaces.

Le silence est tel que le brigadier Féru cesse ses investigations. Le gendarme en convient : « Celui qui vous a écrit et téléphoné connaît trop de choses sur vous… Soit c'est l'un d'entre vous, soit c'est l'un de vos proches. » Aussi utilise-t-il une nouvelle cartouche pour élucider l'énigme : la dictée. Tous les Villemin y passent, jusqu'aux beaux-frères et belles-sœurs, jusqu'au couple Jacquel. Le gendarme inclut dans le lot le dernier de la liste, André Jacob, qu'il connaît bien : il va pêcher au bord de son étang privé une ou deux fois par an. « Tu me soupçonnes, Pierre ? » lui demande l'oncle, stupéfait. « Tout le monde est suspect », répond-il, inflexible.

Arrangeant, Féru organise les dictées de préférence au domicile de chacun et regroupe, chez Albert et Monique, la plupart de leurs enfants. Il élabore lui-même le texte à copier en prenant soin d'y intégrer des mots issus des différentes lettres anonymes. Les rédacteurs se plient à l'exercice de bonne grâce. Seul Michel panique, devant sa feuille, le stylo en main. Il gribouille à peine puis s'interrompt : « Je sais pas écrire. » Féru insiste un peu avant d'abandonner. Pour tout dire, ce fils-là lui fait mauvaise impression.

Toujours nerveux, souvent agressif. Sans doute est-ce son handicap qui le met « à cran ». À moins que…

Féru examine toutes les pages noircies en tentant de les rapprocher des messages menaçants. Mais le déclic espéré ne se produit pas : aucun texte ne le trouble. « Peut-être le gars écrit-il de la main gauche… », se dit-il, avant d'envoyer les documents au juge d'instruction. « Et peut-être fait-il exprès de multiplier les fautes d'orthographe pour paraître moins instruit qu'il ne l'est. » Il n'y aura pas d'analyse comparative des écritures : cela coûterait trop cher et l'affaire n'est pas assez grave pour entraîner une telle démarche.

En décembre 1983, une dernière audition de Jacky donne confirmation au gendarme que l'ennemi de l'intérieur s'est tu. L'instruction est close.

Mais environ trois mois plus tard, le 8 mars 1984, vers midi, la sonnerie du téléphone retentit chez Jacky et Liliane. C'est elle qui décroche.

« Allô ? »

Au bout du fil, on siffle. Elle reconnaît cette signature vocale. Ils pensaient en être débarrassés. Ils avaient entrevu, enfin, une accalmie. Bien que le magnétophone soit toujours scotché à l'appareil, au cas où. Après un an de mutisme, « il » est de retour.

« Qui c'est ? »

La voix grave et maléfique brise le silence : « Devine.

— On sait que c'est toujours le même cinglé…, réplique-t-elle. Tu sais, tu ne me déranges plus maintenant. Moi, les histoires de chez Villemin, j'en ai rien à foutre, hein. »

Derrière, des aboiements de chien résonnent. « Le gars » remet une pièce dans la machine.

« Quand les flics viendront chez toi, c'est toi qui seras arrêtée la première. Parce que jusqu'à maintenant, j'avais bien manigancé mon coup. Tout est sur ton père et sur toi…

— Qu'est-ce que tu veux que ça me foute ? Les gendarmes savent très bien que j'ai des problèmes ailleurs, mon pauvre petit. Je me fous pas mal des Villemin.

— Elle avance, ta baraque ? Tu vas bientôt déménager ? »

Deux heures plus tôt, Jacky et Liliane signaient, chez le notaire, l'acte de vente de la maison dans laquelle ils s'apprêtent à emménager.

« Qu'est-ce que ça peut te foutre, Jean-Marie ? » tente Liliane. À l'autre bout, le persifleur semble interloqué. Mais il se reprend aussitôt :

« Y a pas de Jean-Marie qui compte.

— Dis, hé ! À d'autres mais pas à moi.

— Pourquoi lui ? Il était aussi dedans, comme vous. Jean-Marie descendu, je serais mieux vu dans la famille Villemin. »

Le propos est confus. Liliane ne s'y attarde pas et change de stratégie. D'accusatrice, elle devient amicale – ou feint de l'être :

« Pourquoi t'es mal vu ? T'es comme Jacky, t'es mal vu ? Qu'est-ce que ça peut faire ? Il n'y a pas que les Villemin sur terre. On a des amis, hein ? On n'est pas obligés d'avoir que de la famille, hein ? Ça nous empêche pas de vivre. Pourquoi t'as envie d'être bien vu ?

— Toi, c'est pas tes parents. Tu lui as déjà demandé son avis, à Jacky ? Il a pas envie de voir ses parents peut-être ? »

— Jacky s'en fout ! Jacky, il cherche son vrai père ! Tu comprends ? Parce que lui, sa famille, c'est son père d'abord.

— Ouais, mais il aura du mal à le trouver. Elle en a tellement eu sur le dos, la Môôônique... C'est la pétasse de tout le monde...

— T'en es sûr ?

— Renseigne-toi à Aumontzey. Tu verras bien ce que les gens pensent de la Monique, avec son premier bâtard.

— Pourquoi ? Elle en a eu d'autres ?

— Elle en a un deuxième, et ça se voit. Le deuxième bâtard, ça peut être Michel ou Jacqueline ou Gilbert ou Jean-Marie... Il est dans Aumontzey, leur père. C'est lui que tu recherches, tu n'as qu'à le trouver.

— Il est à Aumontzey, son père ?

— Elle vous a toujours raconté des conneries. Il n'y a jamais eu plus de Thiébaut que de beurre au cul.

— Et c'est qui, son père ? Tu le sais ? Jacky, ce qui le rend malheureux, c'est son père, figure-toi. Sa mère et l'autre, il s'en fout mais c'est son père qu'il voudrait bien connaître.

— Qu'il demande la vérité à sa mère ! Parce qu'elle aussi, elle ment.

— Dis donc, ce ne serait pas toi le père de Jacky ?

— Ben, à toi de deviner. Pourquoi que sa mère a toujours eu peur de la vérité ? Parce que je l'ai coincée une fois quand elle allait aux courses. Et je lui ai dit que je remettrais tout à l'air... Que tout le monde re-saurait la vérité.

— Oui, mais pourquoi tu t'en prends à tous les gosses ? Tu ne devrais pas. Et puis nous mettre ça sur

233

le dos… Pourquoi ? On n'est pas méchants, nous. On ne fait pas de mal aux gens. On laisse vivre le monde. Pourquoi tu nous fais du mal comme ça ? Laisse-les pour ce qu'ils sont. Même s'ils t'aiment pas, il y en a d'autres qui t'aiment, hein ? Si t'as besoin de téléphoner…

— Ça sera peut-être pas découvert…

— Écoute voir : si t'as besoin de téléphoner, de te confier à quelqu'un, n'hésite pas. Mais ne nous fais pas de mal, hein ? Tu comprends, nous on est en train d'acheter une maison. On vient d'aller signer, alors ne nous mets pas dans la merde. On ne demande qu'une chose, c'est d'être heureux tous les trois. Les autres, on s'en fout, tu sais.

— Y a qu'au chef que je vais en faire baver. »

Le débit de Liliane s'intensifie. Elle ne cherche plus vraiment à allumer le calumet de la paix : on dirait plutôt qu'elle fait la leçon à un petit garçon.

« Écoute voir, écoute-moi. Tu veux leur faire du mal, mais tu ne nous le mets pas sur le dos. Tu te rends compte, tout le mal que tu nous fais, hein ? Les gendarmes sont venus ici et moi ils m'ont montée à la brigade, ils m'ont accusée et j'en suis tombée malade !

— Ben oui, je sais…

— J'en suis tombée malade ! »

« Le gars » raccroche, peut-être parce qu'il n'arrive plus à en placer une et que son discours s'embrume de plus en plus. Le flot de paroles de Liliane, ou sa façon de lui parler, semble l'avoir décontenancé. Quand il rappelle, il a repris ses esprits. Il ne dialogue plus, il tonne et annonce :

« Maintenant, je vais lui faire la peau. Surtout que c'est la bonne saison. Et puis je tuerai sa femme et tout

234

vous retombera sur le dos. Et moi j'irai même à son enterrement. Je m'en lave les mains. »

« Le chef », c'est-à-dire Jean-Marie, ne sera pas informé de cet appel. Jacky et Liliane n'adressent plus la parole à son couple et ne confient plus leurs ennuis aux Villemin. La menace, réitérée, restera secrète.

34

Le pressentiment

Septembre 1984

Après coup, une fois le drame survenu, on trouve toujours, en fouillant dans sa mémoire, l'indice qui aurait dû alerter, le signe que tout allait basculer. Un incident, un accident ou même quelque chose d'impalpable. Un sentiment, ou plutôt un pressentiment.

Albert Villemin, lui, ressassera ces pensées bizarres qui l'ont étreint en septembre 1984, sur son lit d'hôpital.

C'est un accident qui l'a cloué là. La veille, il a voulu accompagner son fils Jean-Marie et son gendre Nonoche pour une sortie à moto. C'est la première fois qu'il enfourchait une bécane... et aussi la dernière. Au bout de quelques mètres, l'engin a échappé à son contrôle et l'a envoyé dans le décor. Il a dû puiser dans les ressources de son imagination pour dissimuler à Michel la raison de son plâtre. Son fils, tempétueux, aurait été trop jaloux d'apprendre qu'il prenait du bon temps avec l'un de ses enfants, sans l'y convier.

À l'hôpital, cloîtré dans sa chambre avec sa jambe en carafe, Albert s'est mis à avoir peur, dira-t-il.

De la tranquillité apparente de l'automne débutant. Du silence du « gars » et de sa complice. Tout est trop paisible. Ce silence, n'est-ce pas celui du calme avant la tempête ? « Tu te fais trop de bile », lui dit Monique pour le rassurer, sans grand succès.

Il est si soucieux qu'en retrouvant Aumontzey, il se confie à Michel. En l'aidant à ramasser du bois, il s'épanche : « J'ai peur qu'il arrive un malheur. »

La mère de Christine aurait également vécu un épisode inhabituel. Un mercredi, vers 13 heures, à Bruyères, Grégory joue avec une fillette de 6 ans, devant le HLM de sa grand-mère. Soudain, une voiture, couleur crème, avec deux hommes à bord, déboule dans le paysage. Les enfants ont le réflexe de s'écarter à temps. « On aurait dit qu'ils leur fonçaient dessus… », ajoutera une voisine bien plus tard.

En ce mois d'octobre 1984, on recense d'autres anecdotes, plus ou moins inquiétantes sur le moment, mais encore plus glaçantes avec le recul. Le 10 octobre, Grégory joue de nouveau sous la surveillance de sa grand-mère maternelle, devant son immeuble, à Bruyères. À midi, elle s'absente un instant pour regagner son appartement, craignant d'avoir laissé brûler le déjeuner dans le four. En revenant sur ses pas, elle s'aperçoit que son petit-fils a disparu. Elle le cherche aux alentours, en vain. Lorsque Christine la rejoint, elle est en pleine panique. La fille et la mère étendent leurs investigations et finissent par retrouver l'enfant, qui avait profité de ce laps de temps pour suivre une copine et demander des bonbons dans une épicerie, à moins de deux cents mètres de là. Les deux gamins avaient osé traverser la rue.

Christine le sermonnera et son fils promettra qu'il ne recommencera plus. Mais elle n'en dira rien à son époux, pour ne pas l'alarmer.

Dans la même semaine, une autre inattention provoque un nouveau soubresaut. Au chalet de Lépanges, Christine découvre Grégory, dans la salle de bains, perché sur un tabouret pour ouvrir l'armoire à pharmacie. Elle pense aussitôt au tube d'Efferalgan qu'elle vient de remettre à sa place et s'affole à l'idée qu'il ait pu absorber un cachet. Mais l'enfant n'a rien ingurgité.

Quelques jours après, l'horreur survient.

35

Le salon

14 octobre 1984

Michel et Ginette avaient lancé l'idée de rendre visite à Jean-Marie. C'est chose faite ce dimanche en fin d'après-midi, à l'heure de l'apéritif. Lorsque le couple se présente au chalet de Lépanges, Jean-Marie se livre à son activité favorite en dehors de l'usine : il bricole pour embellir son foyer. Profitant de la clémence du ciel, le jeune père pose de la frisette, un fin revêtement, sur les murs de sa maison. Il est seul avec Christine : ils ont confié Grégory à sa grand-mère maternelle. La veille au soir, ils sont allés au cinéma d'Épinal. C'était l'une de leurs premières sorties depuis bien longtemps. L'installation à Lépanges les a rendus casaniers.

Michel ne prend même pas la peine de demander le titre du film. Au moment de passer la porte du domicile, c'est un autre spectacle qui captive son regard : le salon des Villemin a été métamorphosé. Un canapé en cuir fauve a pris place entre les murs blancs et les multiples plantes vertes. « Il est vraiment beau… », admire-t-il. Avant d'ajouter dans un sourire adressé à son frère : « Heureusement que t'es chef pour te payer ça… »

Le salon n'est pas la seule nouveauté : des travaux d'agrandissement sont en cours pour bâtir un deuxième garage. Gilbert et Albert ont aidé à la tâche. Jean-Marie n'ignore pas que Michel l'a très mal pris, par pure jalousie, et que sa colère pourrait ressurgir à n'importe quel moment, comme une panthère tapie dans l'ombre. L'été précédent, son aîné avait encore bouillonné dans sa marmite d'aigreur, juste avant de partir en vacances dans le Sud. On s'était dit qu'un séjour au soleil lui ferait du bien – tout en espérant qu'il arriverait à bon port compte tenu de la fraîcheur de son permis de conduire et du fait qu'il ne savait pas lire le nom des villes sur les panneaux. En prenant le volant, Michel avait pesté : « De toute façon, si je meurs, ça fera un bâtard de moins… »

La présentation du mobilier pourrait ainsi déclencher une nouvelle étincelle. Quatre jours plus tôt, Michel était déjà venu frapper à la porte mais Jean-Marie était à la salle de sport. Christine lui avait ouvert mais, craignant une réaction épidermique, elle avait pris soin de lui dissimuler le salon.

Dans la famille, on garde en mémoire, entre autres tristes choses, un incident survenu chez Jacqueline Villemin, environ trois ans auparavant. Michel avait débarqué ivre, avec femme et enfants, chez sa sœur, en rentrant d'une fête trop arrosée. Il devait être 23 h 30. « C'est bon… Bouffez tous les gâteaux et cassez tout ! Ça posera pas de problème, ils ont des sous ! » avait-il hurlé.

Mais contre toute attente, ce dimanche, Michel n'a pas l'air crispé, il est plutôt sous le charme du décor. Ginette, de son côté, ne prononce pas un mot et ne laisse rien paraître. Comme souvent.

Jean-Marie décrit à loisir sa situation florissante. Est-ce parce que la lueur dans les yeux de son frère lui donne des ailes ? On le compare parfois à « un petit coq » et son père s'efforce de le faire garder les pieds sur terre s'il le trouve « trop fier ». Récemment, quand il a entendu son fils se réjouir de sa réussite, il l'a repris : « Mais tu sais, tout le monde il est beau… Même moi avec ma tête de macaque ! »

Confortablement installé dans son fauteuil, Jean-Marie exhibe le plan d'agrandissement de sa propriété, parle des travaux, de leur nouvelle voiture, des bouteilles de vin qu'il a achetées. Tout cela grâce à un prêt avantageux obtenu par l'intermédiaire d'Autocoussin. Il s'étend aussi sur les commissions qu'il percevra bientôt d'un organisme immobilier auquel il amène des clients à ses heures perdues. Chaque transaction conclue à la faveur de la publicité qu'il effectue lui rapporte cinq mille francs. Or, ces derniers mois, trois ventes ont été concrétisées. Il n'est pas le seul à bénéficier de ce bon plan : Michel a passé le même marché avec les maisons Phénix. Mais dans son cas, les commissions sont dix fois moins élevées.

« Nous, on aimerait bien acheter une 4L, embraie Michel. Tu penses que c'est une bonne bagnole ? » Ils ont repéré une occasion mais le plancher de l'auto mériterait un sérieux rafistolage. « Tu pourrais pas nous récupérer un peu de résine, toi qu'es à Autocoussin ?

— Oh tu sais, maintenant que je suis plus au labo, c'est plus possible… », répond aussitôt le contre-maître.

Michel ne semble pas s'offusquer de cette fin de non-recevoir. Avec le recul, Jean-Marie se demandera si sa fierté n'a pas été prise pour de l'arrogance et sa franchise pour de l'égoïsme. Et s'il n'a pas sous-estimé le ressentiment suscité par sa relative prospérité. Il ne pensait pas à mal : après tout, il ne s'agissait que de prêts, et leur nouvelle voiture était une occasion récupérée à la casse.

On ne le traite plus vraiment de giscardien. Peut-être parce que la gauche au pouvoir ressemble finalement à la droite : Laurent Fabius nommé Premier ministre en juillet, les communistes qui quittent le gouvernement, les usines qui ferment… D'ailleurs, certains ont arrêté de voter, arguant que le socialisme n'est plus ce qu'il était et qu'il a perdu ses valeurs. Mais qui voudrait encore remettre en cause le droit de propriété ou ins-taurer la dictature du prolétariat ? Qui voudrait mettre à bas la société de consommation qui leur apporte le confort souhaité et les éloigne de l'austère vie de leurs parents et de leurs grands-parents ? Le monde a changé, Jean-Marie en profite. Dans son esprit, si on envie sa réussite, ce n'est pas parce qu'il n'est pas par-tageur. Ce n'est que par jalousie.

36

16 octobre 1984

« Je peux aller jouer dehors ? » demande Grégory qui a pris l'habitude, vers 17 heures, après l'école, de jouer quelques minutes devant la maison. « D'accord, si tu es gentil », lui sourit Christine, sur le seuil. Le soleil est radieux ce 16 octobre mais le vent souffle et la pluie pourrait même tomber pendant la nuit. Par précaution, elle lui met son bonnet et remonte jusqu'en haut la fermeture Éclair de son anorak bleu. La semaine précédente, il était malade. « Ne t'éloigne pas trop », lui dit-elle encore, avant qu'il ne disparaisse, avec sa pelle, vers le tas de gravier. Tout est calme. Plus loin, un moteur de tracteur tourne au ralenti.

La jeune mère chausse ses espadrilles et allume la chaîne hi-fi dans le salon, branchée sur la station RTL. Elle monte le volume pour mieux l'entendre depuis la chambre d'amis, où sa planche à repasser l'attend. Au calme, en écoutant Philippe Bouvard, elle s'attelle à son tas de linge. Les volets sont fermés, comme souvent, pour décourager d'éventuels cambrioleurs tentés par une maison de plain-pied. La rumeur prétend qu'ils rôdent dans le secteur.

Une quinzaine de minutes plus tard, vers 17 h 15, alors qu'elle entame la pile des vêtements de Grégory, Christine se dit qu'il est temps de le faire rentrer, pour lui préparer à manger, et elle débranche son fer. Sur le seuil de la maison, elle l'appelle : « Grégory ! » Pas de réponse. Elle jette un œil vers le monticule de gravier : la cour est déserte. Peut-être s'est-il éloigné pour jouer avec ses petites voitures qu'il cache dans le creux des blocs de ciment. Pour le vérifier, elle fait le tour de son domicile tout en criant son prénom. Sa voix se perd dans la forêt et les herbes hautes qui bordent l'arrière de l'habitation.

Son voisin, M. Méline, se trouve de l'autre côté de la rue, quarante mètres plus haut, au niveau du croisement. Il est en train de balayer les gravillons au bord de la voie, pour éviter que les cyclistes ne dérapent. « Vous avez pas vu Grégory ? » lui demande-t-elle depuis son garage ouvert. Son fils aime bien rendre visite au couple de retraités, pour goûter les bonbons au chocolat que confectionne Mme Méline. Quand elle n'en a plus, il l'avise d'un air malicieux : « Tu dis que t'as plus de bonbons mais moi je sais où ils sont… »

« Non, je l'ai pas vu et pourtant je suis là depuis un moment, répond le voisin qui a passé une partie de l'après-midi sur son tracteur. Mais faudrait voir avec ma femme… » Son regard se pose sur un autre villageois, M. Colin, qui revient de la forêt. Il tient au bout d'une laisse Jimmy, son dalmatien. « Eh, Bernard, demande à ma femme si elle a pas vu Grégory ! » Le vieil homme au béret vissé sur la tête interpelle Mme Méline, par la fenêtre.

« T'as pas le gosse avec toi ?

— Grégory ? Non, il est pas ici », assure-t-elle de l'intérieur où elle achève la couture d'une jupe.

Christine réfléchit. Il a pu rentrer pendant qu'elle repassait. Tout à l'heure, le son de la radio était si fort qu'il a dû couvrir ses pas. Aussitôt, elle inspecte chacune des pièces. Tout est vide.

Et s'il était parti vers le village ? D'ici au cœur de Lépanges, en bas, il y a une trotte mais ce n'est pas impossible. Alors qu'elle s'apprête à prendre le volant de sa Renault 5 pour en avoir le cœur net, elle croise une autre voisine, Mme Claudon, qui bougonne parce qu'elle est en retard pour faire rentrer ses vaches. Elle bougonne souvent et elle est toujours pressée. Christine la questionne mais elle n'a rien vu non plus. « Je vais chez sa nourrice, la prévient-elle.

— Ah bon ? s'étonne Mme Claudon. Il est déjà allé chez elle à pied ?

— Il a déjà fugué… »

Avant de partir, la jeune femme s'adresse aux Méline : « Vous pouvez rester ici au cas où Grégory reviendrait ? » Le couple de retraités la rassure. Elle file en direction du village, d'abord chez Mme Jacquot qui garde habituellement Grégory juste après l'école, le temps que sa mère sorte de la MCV. La nourrice discute avec des filles au pied de son HLM. Sans quitter son siège, Christine lui fait un signe de la main pour qu'elle s'approche. De plus en plus inquiète, elle lui raconte la disparition. Mme Jacquot n'a pas vu le garçonnet mais lui promet de le chercher de son côté et de le ramener à la maison si elle le récupère.

Christine étend son exploration et traverse une partie de Lépanges, en roulant lentement pour scruter les trottoirs. Elle poursuit jusqu'à la poste. Un groupe de sept ou huit écoliers attire son attention. Elle ralentit encore, les détaille : ils sont trop âgés. Grégory n'est nulle part.

Elle fait demi-tour, le ventre noué, et remonte aussi vite que possible au chalet, au cas où il serait revenu. À 17 h 32, l'imposant troupeau de trente-six vaches de Mme Claudon lui bloque la route et l'immobilise pendant de trop longues minutes. L'agricultrice passe à sa hauteur : « Vous l'avez retrouvé ? »

Le visage de plus en plus sombre, Christine fait non de la tête.

« Il était habillé comment, vot' fils ?

— Il avait son anorak bleu.

— J'ai remarqué un attroupement de gosses plus haut au carrefour. Y en a qui avaient des manteaux bleus. Allez donc jeter un œil. »

La Renault 5 grimpe jusqu'à l'intersection où se trouve la borne des sapeurs-pompiers. Quelques enfants se sont rassemblés pour discuter. Grégory n'est toujours pas là.

M. Méline la voit revenir à son point de départ. « Faut pas rester comme ça ! Fouillez la maison, la cave, cherchez partout. Le petit est peut-être caché sous un lit. » Mais Christine l'a déjà fait. En poussant la porte d'entrée, elle pense surtout à appeler son époux chez Autocoussin. Il faudrait qu'il vienne l'aider, leur fils a pu s'aventurer sur un chemin tout proche. Il n'en manque pas dans ces hauteurs boisées.

Au moment où elle pénètre dans le salon, le téléphone sonne. Elle décroche. C'est sa mère qui lui parle d'une voix très agitée.

« Tu es là, Christine ? Rentre le petit ! »

Sans comprendre, elle lui répond spontanément : « Mais je le cherche ! Je le trouve plus ! »

Elle l'entend alors crier :

« Mon Dieu, Christine, "il" a téléphoné ! "Il" veut te l'enlever ! »

37

Grégory

Octobre 1984

Moins de deux semaines avant qu'il ne disparaisse, Grégory avait tant réclamé sa mère qu'elle avait posé une journée de congé maladie pour rester avec lui à la maison.

Chaque fois qu'elle le laissait chez sa nourrice pour partir travailler à la MCV, il se postait à la fenêtre et lui adressait de grands signes affectueux en la regardant s'éloigner au volant de sa voiture.

L'enfant nourrissait un amour quasi fusionnel pour sa mère. Il aimait qu'elle le câline, qu'elle lui donne des « cocos », selon le mot qu'ils s'étaient inventé pour dire « bisous ». Le matin, quand il n'y avait pas école, s'il était réveillé avant ses parents, il venait se glisser dans leur lit. Lorsqu'il devenait espiègle, au dîner (qu'on servait chaque jour à 18 h 30, pas plus tard), il se badigeonnait les lèvres avec de la moutarde juste avant que sa mère ne l'embrasse.

On le disait farceur et malicieux. Albert et Monique le jugeaient turbulent et le reprenaient plus que leurs autres petits-enfants. « Chez la mère de Christine, c'est le roi, il peut tout se permettre », mais pas chez eux, diraient-ils. Jean-Marie et Christine estimaient surtout que les grands-parents préféraient le fils de Michel.

Ils ne le niaient pas cependant : s'il allait trop loin, il fallait calmer ses ardeurs, le gronder. Quand sa mère faisait la vaisselle et qu'elle avait les mains prises dans l'évier, il en profitait pour lui pincer les jambes. Quand elle étendait le linge, il accrochait des pinces dans son dos, et elle ne s'en apercevait qu'en prenant son poste. Elle en riait et le racontait ensuite à ses collègues de travail. Plus rarement, il lui donnait des petits coups de pied. Alors Christine appelait Jean-Marie à la rescousse et ça chauffait un peu. Mais dès que son père le réprimandait, Grégory redoublait d'affection pour se faire pardonner.

Son père, ce n'était pas rien à ses yeux : un héros, un modèle. Comme lui, il voulait être un « homme », un « dur ». À 4 ans, les autres gamins s'amusent encore avec leurs peluches, lui se tournait déjà vers des distractions de « petit mec ». Il n'avait pas remisé dans le coffre son éléphant bleu ou son petit singe « kiki » mais il prenait goût à « la bagarre » avec Jean-Marie qui pratiquait les arts martiaux, en particulier le karaté. Ce qu'il adorait par-dessus tout, c'étaient les voitures de course. Des dessins de Formule 1 et de Ferrari constellaient le papier peint de sa chambre par dizaines. Son regard allait de l'un à l'autre, avant de se poser sur son petit lit d'une seule place, et il disait, traversé par un regret œdipien : « Papa a une femme dans son lit et moi je n'en ai pas. »

Devenir un homme, comme papa. La mère de Christine avait remarqué qu'il s'employait à faire mieux que les autres, à être le premier. D'ailleurs, on trouvait qu'il était en avance, qu'il s'exprimait mieux, qu'il était plus éveillé, y compris par rapport à ses cousins Villemin. Christine craignait même que sa maturité ne suscite des jalousies. Jacky, par exemple, le reconnaîtrait : il aurait voulu élever un garçon aussi intelligent. Mais il se demandait s'il aurait été capable de dompter une telle énergie.

Jean-Marie ne se posait pas ce genre de questions : il savait comment canaliser la fougue de son petit. Les plantes vertes avaient déjà subi les ravages de leurs parties de foot improvisées dans les couloirs du chalet, puis le rafistolage à coups de Scotch en urgence, avant que Christine ne rentre… « On le dira pas à maman, hein ? » Et Grégory tenait (presque) toujours sa langue.

« Tu m'aimes, Nounours ? » demandait souvent l'enfant à son père, pour se rassurer. Il avait entendu sa mère l'appeler ainsi et, comme s'il voulait, sans attendre, adopter les codes des adultes, il répétait le surnom. Lorsque Jean-Marie le conduisait à l'école, le matin, Grégory revenait plusieurs fois sur ses pas pour réclamer « encore un coco ». La directrice avait remarqué cette habitude. Après le drame, elle détaillerait aux enquêteurs son souvenir le plus frappant : la « densité des regards affectueux échangés entre le père et son enfant ».

38

Le drame

16 octobre 1984

Vers 17 h 45, le téléphone sonne chez Autocoussin, dans la salle de contrôle. L'appareil est à portée de main, Jean-Marie prend l'appel et reconnaît au bout du fil la voix angoissée de sa mère. « Qu'est-ce qui se passe ? » lui demande-t-il. Elle répond, le souffle court : « Vite ! Il faut que tu montes chez toi, il est arrivé quelque chose à Grégory ! » Le jeune père insiste : « Qu'est-ce qu'il lui est arrivé ?

— On l'a enlevé ! C'est Michel qui vient de me le dire ! Il a reçu un appel ! »

Jean-Marie a juste le temps de récupérer son sac et de prévenir son supérieur. Il fonce à Lépanges pied au plancher. Sur place, la confusion règne. Christine est pendue au téléphone, M. Méline est à ses côtés. Il les voit à peine et ne dit pas un mot, la mâchoire serrée, le bourdonnement de la colère cognant contre ses tempes. Raide de rage, il file, jusqu'à sa chambre, saisir la carabine. Puis il repart. En pleurs, sa femme essaie de le retenir, Méline entreprend de lui arracher

253

l'arme. En vain. Dans sa tête, il n'y a qu'une destination possible : la maison de Roger Jacquel. Si l'enfant a vraiment été enlevé, c'est chez lui qu'il doit être séquestré.

La Renault trace sa route sous le soleil déclinant. Au carrefour de Laveline, il croise et reconnaît le véhicule de ses parents que conduit Michel. Il s'arrête à leur hauteur et baisse sa vitre :

« C'est le même gars qui t'a téléphoné ?

— Oui, confirme Michel.

— Je sais ce qu'il me reste à faire. »

Monique descend de la Datsun immobilisée et lui fait de grands gestes mais il ne s'attarde pas. Il presse l'accélérateur. L'arme repose sous le siège passager.

En arrivant à Granges, aux abords de la propriété des Jacquel, un détail freine sa course : une 4L est stationnée à proximité. « Ça doit être les gendarmes… » Il hésite. Puis se décide à battre en retraite.

Lorsqu'il regagne son toit, la panique est toujours aussi intense et Grégory n'a pas donné signe de vie. Des gendarmes sont arrivés. Michel fait les cent pas. La mère de Christine a rejoint le groupe. On se divise en trois : Christine reste près du téléphone. Sa mère et le voisin, Gilbert Méline, prennent une voiture pour inspecter les environs. Jean-Marie s'accroche à une autre idée. La menace que « le gars » avait formulée au téléphone l'année précédente lui revient en tête. Il entend encore sa voix rauque : « Ne laisse pas trop traîner [ton mioche] autour de la maison, […] tu le retrouveras "stangnié" en bas… »

« En bas » pourrait désigner le parc voisin. Il se précipite avec Albert et Michel pour en avoir le cœur net. Mais l'endroit est désert. L'obscurité gagne du terrain.

Nouveau demi-tour. Albert traîne la jambe à cause de son accident de moto. Les recherches tournent en rond, on ne sait plus quoi faire. Au chalet, Jean-Marie tente de rassembler ses idées et questionne son frère : « Mais qu'est-ce qu'il t'a dit, exactement, "le gars" ? »

Michel bredouille une information gardée sous silence jusque-là. « Il m'a dit qu'il avait étranglé le gamin et qu'il l'avait jeté dans la Vologne. » La stupeur déforme les traits de Jean-Marie : « Espèce de con, tu pouvais pas le dire plus tôt ? On a perdu du temps !

— Il voulait pas t'affoler… », tente Monique pour défendre son fils.

Albert fait profil bas. Il n'avait pas non plus osé mentionner exactement les propos du « gars », face à l'inquiétude générale.

« Faut draguer la Vologne, réagit Jean-Marie. Faut aller voir le maire ! »

Toujours flanqué de son aîné et de leur père, il frappe à la porte de l'édile. Il est près de 19 heures. D'abord dubitatif, le magistrat finit par accepter de prévenir les pompiers et leur prête deux lampes torches.

Les trois Villemin longent fébrilement la rivière depuis le pont de Prey. La nuit tombe. Jean-Marie et son père éclairent leur percée et balaient d'un halo les eaux de la Vologne, sans conviction. En retrait, Michel peine à cacher sa nervosité grandissante. Leur présence sur ces rives semble de plus en plus incongrue. Tout paraît absurde.

« Tu crois qu'il a vraiment fait ça ? demande Jean-Marie à son père.

— Mais non, c'est impossible ! » lui répète-t-il.

Le père de Grégory doute de plus en plus. Les intimidations du « gars » ressemblent à un leurre. À ce jour, ses pires méfaits se résument à une vitre cassée et un pneu crevé. On est loin d'un rapt d'enfant.

Au bout de quelques mètres, Albert s'arrête : « C'est pas la peine d'aller plus loin… De toute façon, s'il avait fait ça, connaissant le cours de la rivière, on ne le retrouverait qu'à Docelles. »

Les trois hommes rebroussent chemin. Avant de rentrer à Lépanges, Michel réclame un détour : « On peut passer à la CIPA pour prévenir Ginette ? Je voudrais pas qu'elle s'inquiète quand elle verra que je suis pas à la maison. »

Selon Michel, au plus fort de sa frénésie, « le gars » avait aussi annoncé qu'il s'en prendrait à ses enfants. « Je sais à quelle heure tu pars au boulot et à quelle heure ta femme rentre. Tes gosses sont seuls vingt minutes, j'ai le temps de leur faire du mal… », lui aurait-il lancé. Pour ne pas les laisser seuls, il arrivait systématiquement en retard à la filature.

La voiture de Jean-Marie se gare devant l'usine où Ginette gagne sa vie. Michel s'excite sur la sonnette à l'entrée tandis que son frère s'impatiente au volant, mais personne n'ouvre. Le temps lui semble interminable.

Vers 20 h 30, ils retournent au point de départ. Malgré le renfort de Gilbert, de Jacqueline et de leurs conjoints, toutes les fouilles demeurent infructueuses. Personne ou presque ne parvient à croire que « le gars » ait pu passer à l'acte. Sauf peut-être Jacqueline qui, depuis quelques minutes, a une glaçante prémonition. Le visage de Christine se décompose de plus en plus. « Pourvu qu'il ne soit pas mort », pleure-t-elle.

Jean-Marie tente de rester le plus rationnel possible. Dehors, il aperçoit un pompier aux cheveux roux, sur le bord de la route, devant la maison. On dirait qu'il cherche à s'approcher mais sans oser faire un pas de plus. Le père de Grégory s'avance. L'homme en uniforme lui demande d'une voix neutre : « Est-ce que l'enfant portait un bonnet rayé blanc, bleu et rouge ?

— Oui. »

Jean-Marie se dit qu'ils ont au moins mis la main sur le bonnet, que son fils ne doit plus être loin. Mais l'eau de la rivière n'est pas aussi glacée que les mots qui suivent.

« On l'a retrouvé mort dans la Vologne. »

Il n'a pas besoin de faire répéter. De toute façon, il n'entendrait plus rien. Plus rien, sinon l'ouragan qui vient de lui pulvériser le cœur. Il rugit d'une douleur irréversible et tape du poing dans le volet. Christine n'a pas encore compris. Elle s'approche à son tour. Il la serre dans ses bras et lui souffle à l'oreille : « Il est mort. » Tous deux s'écroulent et s'enlacent, par terre, au milieu des autres, comme s'il n'y avait plus personne au monde. D'ailleurs, ils sont seuls au monde. « Pourquoi, Nounours, pourquoi ? » hurle Christine. De cette maison, qui avait été un havre de paix, et qui peu à peu est devenue maudite sans qu'ils sachent pourquoi, on n'entend plus que cris, épouvante et gémissements.

39

Dernière lettre

17 octobre 1984

Le lendemain, le foyer des Villemin est un champ de ruines. Le chalet tient toujours sur ses murs mais c'est comme s'il n'en restait plus rien. Jean-Marie et Christine n'ont pas dormi sur place, ils n'ont pas dormi du tout. Ils ont passé la nuit à se répéter des mots au creux de l'oreille, comme un mantra, une prière, pour ne pas glisser dans le précipice. Le médecin a injecté un tranquillisant à Christine, mais pas trop puissant, pour qu'elle puisse répondre aux questions des gen- darmes. La veille vers 21 h 30, Jean-Marie est allé reconnaître le corps de son fils, étendu dans le local des pompiers après avoir été repêché. Le visage de l'enfant était calme, apaisé, comme s'il n'avait rien perçu du sort qui lui était fait. Jean-Marie n'a pas osé dire à son épouse que Grégory avait les pieds et les mains liés par une cordelette. « Il était beau, il n'a pas souffert », lui a-t-il seulement rapporté, la voix blanche. Mais Christine a vu la une du journal local, et tout y était raconté.

C'est dans ce chaos que le facteur dépose une lettre sous le volet de Jean-Marie et Christine. D'après l'affranchissement, elle a été expédiée depuis Lépanges, la veille, vers 17 h 15. Soit au moment de la disparition de Grégory. Sur la feuille claquent ces mots définitifs :

> J'espère que tu
> mourras de chagrin
> le chef ce n'est
> pas ton argent qui
> pourras te redonner
> fils voilà ma
> vengeance.
> pauvre con

« J'espère que tu mourras de chagrin le chef. Ce n'est pas ton argent qui pourras te redonner ton fils. Voilà ma vengeance. Pauvre con. »

Épilogue
Du « gars » au corbeau

Juin 2017. J'écris les dernières lignes de ce manuscrit lorsqu'une alerte apparaît sur mon téléphone. Le journal régional *L'Est républicain* annonce de nouvelles gardes à vue dans l'affaire Grégory. Bientôt, les chaînes d'info en continu, les sites, les réseaux sociaux s'emballent : c'est un raz de marée. Trente-trois ans après, l'énigme criminelle déchaîne toujours les passions.

Je suis né en 1983, un an et demi avant l'assassinat de Grégory Villemin. J'ai grandi avec cette tragédie judiciaire pour toile de fond, avec ces reportages au journal de 20 heures que mes parents regardaient lorsque j'étais enfant, avec ces images filmées caméra à l'épaule, arrachées au pas de course à la sortie d'un palais de justice, avec ce portrait de petit garçon qui sourit, icône figée de l'innocence.

En 2016, j'ai publié mon premier livre, *Les Disparues*, consacré à un autre mystère : les meurtres particulièrement sauvages de plusieurs jeunes femmes, dans le quartier de la gare de Perpignan. L'affaire non élucidée pendant dix-sept ans avait aussi rebondi au moment où je croyais le récit terminé. Je m'étais interrogé sur le sort d'autres énigmes judiciaires, dont l'assassinat de Grégory Villemin. L'enquête semblait alors au point mort. L'idée d'écrire un autre livre m'est venue progressivement. Il n'était pas question de trouver le coupable ni d'accuser tel ou tel protagoniste mais de mettre à plat les années précédant le 16 octobre 1984, comme cela n'avait jamais été fait, de raconter et d'éclairer l'origine du drame, le plus précisément possible. En se plongeant dans ce dédale d'auditions et d'expertises, il est toutefois possible de dégager quelques éléments incontestables, qui laissent entrevoir le profil du « gars ».

Il y aurait, selon la plupart des témoignages collectés dans le dossier judiciaire, un homme et une femme. La voix de la femme semble naturelle la plupart du temps, celle de l'homme déguisée – de sorte qu'il n'est pas totalement exclu qu'une seule personne se dédouble : la femme. Le patron des pompes funèbres Lapoirie, dérangé en novembre 1981, avait perçu un timbre féminin quand Albert et Monique l'entendaient masculin. Cependant, l'hypothèse d'un couple distribuant ses appels de concert reste la plus probable. D'ailleurs, lorsque Jean-Marie a été importuné sur son lieu de travail au printemps 1983, il a discerné un rire féminin, en fond sonore, pendant que « la voix rauque » lui parlait.

Ce couple est l'instigateur des communications les plus cruelles et des menaces les plus concrètes. Dès la fin de l'année 1981, une flopée d'imitateurs s'ajoutent à la cacophonie, soit pour démasquer les maîtres-chanteurs, soit par jeu, soit par vengeance. Et les destinataires se multiplient alors dans la vallée, jusqu'à certaines collègues de Christine Villemin ou à des habitants du secteur. Mais les voix sont différentes et, en général, la perversion n'atteint pas un tel degré. Contrairement à ce qui a été publié dans la presse, le nombre de coups de téléphone imputés aux véritables malfaisants est sans doute inférieur à huit cents.

La femme puis l'homme apparaissent au second semestre 1981, même s'il est possible de leur associer un ou deux appels anonymes les mois précédents. Pourquoi à cette période ? Une première raison, toute bête, mérite l'examen. Dans cette région, le téléphone ne s'est répandu et popularisé qu'au début des années 1980. C'était un jouet nouveau et beaucoup ont pu en faire un usage divertissant, comme le soir de la Saint-Valentin 1981, au cours duquel Bernard Laroche s'est vu solliciter par une femme en transe, au bout du fil.

Mais surtout, l'année coïncide avec la promotion de Jean-Marie chez Autocoussin et son emménagement à Lépanges. Or, les deux inconnus ont manifesté une aversion incontestable pour « le chef ». La plupart des menaces lui sont destinées et visent ce qu'il chérit le plus au monde : son fils, sa femme, et leur nid douillet. Dès le premier appel, en août 1981, on lui passe une chanson, « Chef, un p'tit verre, on a soif », dont le titre n'est pas anodin. C'est aussi le seul dont la propriété a subi des dommages, comme si « le gars » voulait prouver qu'il était prêt à passer à l'action et à détruire ce bonheur qu'il jalousait.

Au-delà, c'est toute la famille Villemin qui éprouve le harcèlement, même s'il ne se conclura jamais de manière aussi tragique. Chacun est attaqué sur ses points faibles : ainsi, à Michel, jaloux maladif, on annonce que sa femme le trompe avec son cousin,

Bernard Laroche, et la rumeur d'un second bâtard excite aussi sa paranoïa.

De son côté, Albert est sans cesse ramené à sa santé mentale fragile et au suicide de son père.

Monique se voit reprocher son passé et sa grossesse hors mariage.

Sous prétexte de défendre Jacky, « le gars » le réduit constamment à sa condition de « bâtard » et stimule la méfiance à son égard chaque fois que « le grand » s'échine à resserrer les liens familiaux.

Sans être épargnés, Gilbert et Jacqueline subissent moins fréquemment ses assauts, sans doute parce qu'ils n'ont pas le téléphone. Enfin, Lionel, le petit dernier, âgé seulement d'une dizaine d'années, n'est jamais cité.

Seule Ginette semble bénéficier d'une sorte de traitement de faveur. Elle reçoit peu d'appels et jamais « le gars » ne tente d'orienter les soupçons vers elle (contrairement à Liliane). Elle n'est pas non plus mentionnée dans la deuxième lettre anonyme envoyée chez Albert et Monique.

Blesser et diviser. Tel est l'objectif manifeste de ce couple de Thénardier qui a une inclination pour certains thèmes comme l'adultère et le mensonge. Les femmes se font traiter de « salopes », les hommes de « cocus ». Mais les coucheries ne sont-elles pas le leitmotiv de tout ragot, en ville ou à la campagne ? « Qui couche avec qui ? » À Aumontzey, à Granges et à Lépanges, il n'est pas rare de verser dans ce registre au cours d'une soirée arrosée : on a vu untel fricoter avec telle autre... Et tel couple se livrerait à l'échangisme...

Dans ce jeu sinistre, les cancans charrient les questions les plus dérangeantes : les pères seraient-ils les vrais géniteurs ? Et les enfants sont-il légitimes ? Être ou ne pas être père ? Être ou ne pas être un « bâtard » ? Dans l'esprit de Jacky ou d'Albert, le doute pouvait devenir poison. Dans celui du couple mystère, il faisait figure d'obsession.

« Le gars » dispose de renseignements précis sur la vie des uns et des autres. Il connaît l'intérieur de leurs maisons, leurs horaires de travail et d'autres détails (la pose des rétroviseurs en janvier 1982, la venue des gendarmes chez Monique au printemps 1983). Sans trop s'aventurer, on peut formuler deux hypothèses conjointes. D'une part, « il » jouit d'une vue directe, partielle ou complète, sur le quotidien d'Albert et de Monique, parce qu'il habite à proximité, à Aumontzey. D'autre part, il est en contact avec eux et peut être informé de leurs péripéties sans éveiller les soupçons. Monique et son fils Michel sont connus pour avoir la langue bien pendue. Il suffit de tendre l'oreille pour tout savoir ou presque.

« La voix rauque » vient-elle du premier cercle des Villemin (parents, frères et sœur) ou du second (belle-famille, cousins) ? Elle est en tout cas celle d'un individu assez proche de la famille pour connaître le nom du véritable père de Jacky. Trente ans plus tôt, d'autres avaient été mis dans la confidence : ceux qui avaient côtoyé Monique au moment de sa liaison avec le fameux Thiébaut. Autrement dit, ceux qui vivaient ou vivraient encore dans la maison des Jacob, là même où le nom des Villemin est honni et Albert détesté, dans le foyer des secrets, le foyer de la haine.

En revanche, au milieu de la brassée de secrets dévoilés et de poubelles fouillées, certains « dossiers sensibles » n'ont pas été exploités par « le gars ». S'il avait voulu se hasarder sur ce terrain-là, il aurait pu déterrer bien des horreurs sur Léon Jacob, le père incestueux de Monique, par exemple. Il aurait fait des ravages. Mais cela aurait blessé au-delà du premier cercle des Villemin. Est-ce la raison pour laquelle il ne l'a pas fait ?

Reste une dernière interrogation : pourquoi avoir frappé en octobre 1984 après des mois de silence ? Pourquoi avoir mis une menace à exécution, après l'avoir formulée plusieurs fois (« Ne laisse pas trop traîner ton fils en bas »), puis démentie (« Je ne veux pas lui faire de bobo au balaise de maman ni à sa pimbêche de gonzesse ni à son mioche »), puis réactivée ? Qu'est-ce qui a décidé « le gars », plus instable et plus confus qu'il n'y paraît, à basculer ? La prospérité de Jean-Marie, affichée dans l'agrandissement de sa maison et l'acquisition de son salon en cuir fauve ? Pour qu'une telle anecdote suffise à provoquer l'assassinat d'un enfant, pour que cette goutte d'eau fasse déborder le vase, c'est que la haine devait mûrir depuis bien longtemps et alimenter d'abyssales frustrations. Il fallait que, dans l'ombre, invisible, à force d'être remâchée, ruminée, dans ce cercle fermé semblable à une fosse aux lions, cette détestation se mue en folie.

En juin 2017, trois personnes ont été placées en garde à vue : Ginette Villemin, qui sera libérée au bout de quelques heures, Marcel et Jacqueline Jacob, l'oncle et la tante de Jean-Marie Villemin. Le 16 juin, le couple est mis en examen pour enlèvement et séquestration suivie de mort. Des expertises en écriture établissent que Jacqueline Jacob pourrait être l'auteur de deux lettres anonymes rédigées en avril 1983, l'une glissée dans les volets de Jean-Marie et Christine, l'autre envoyée au domicile d'Albert et Monique. Les enquêteurs soupçonnent le couple d'avoir commandité le rapt de Grégory, avec la complicité de Bernard Laroche, neveu de Monique. Ce dernier ne peut plus répondre aux questions de la justice : il est mort le 29 mars 1985, abattu par Jean-Marie Villemin, convaincu de sa culpabilité par les révélations de Murielle Bolle, la petite sœur de Marie-Ange Laroche. Murielle est mise en examen le 29 juin 2017 pour enlèvement de mineur de moins de 15 ans, suivi de mort. Le 2 novembre 1984, elle avait avoué aux gendarmes que son beau-frère Bernard était venu la chercher à la sortie du collège le jour de la mort de Grégory. Selon son témoignage d'alors, ils auraient roulé en voiture jusqu'à Lépanges. Laroche aurait fait monter à bord du véhicule un enfant, qu'elle identifiera comme étant Grégory. Ils se seraient ensuite rendus à Docelles où son beau-frère serait descendu avec le garçonnet avant de réapparaître seul. Quatre jours après, le 6 novembre 1984, elle revenait sur ses aveux, pourtant confirmés et enrichis d'autres détails devant le juge Lambert. En mai 2018, nouveau coup de théâtre : les mises en examen des époux Jacob et celle de Murielle Bolle sont annulées pour un vice de procédure. Les investigations sont freinées mais pas stoppées pour autant.

Malgré trente-trois années écoulées, ni Claire Barbier, la magistrate chargée de l'instruction jusqu'en février 2019 à la cour d'appel de Dijon, ni son équipe d'enquêteurs n'ont abandonné. Tout comme Jean-Marie Villemin. Trois décennies après « le 16 octobre », les parents de Grégory ne veulent plus s'exprimer dans la presse. Mais Jean-Marie Villemin abreuve toujours ses avocats de ses notes, de ses tableaux, de ses observations qu'il rédige en étudiant encore et encore le dossier, pour que la vérité puisse enfin éclater. J'imagine qu'il connaît par cœur la procédure et se souvient dans les détails de cette soirée indicible où la vie a basculé. Chaque avancée, chaque pas, aussi petit soit-il, est une récompense à sa quête vitale, éclairée par le sourire éternel de Grégory.

Remerciements

Ma reconnaissance va à Laurent Beccaria, directeur des éditions Les Arènes, pour m'avoir accueilli de nouveau dans cette belle maison. Je souhaite aussi remercier Marion Justinien de m'avoir épaulé sans savoir ce que j'écrivais.

Table des matières

*Cet ouvrage a été composé et mis en page
par PCA, 44400 Rezé*

POCKET – 92 avenue de France, 75013 Paris
Suite du premier tirage : mai 2021
N° d'impression : 2080407
S29048/04